¡Cristo Ha RESUCITADO!

¡Y su Iglesia está aquí!

Cómo un Católico devoto supo que los Mormones son Cristianos

Gary J. Coleman

Publicado por

Legends Library Publishing, Inc.
Rochester, N.Y.
www.legendslibrary.org
info@legendslibrary.com
877-222-1960

ISBN: 978-1-944200-43-5

Permiso concedido por la Oficina de la Primera Presidencia al autor para escribir este libro para ser publicado.

Esta obra no es una publicación oficial de La Iglesia de Jesucristo de los Santos de los Últimos Días. El punto de vista expresado aquí es la responsabilidad del autor y no necesariamente representa la posición de la Iglesia.

Impreso en los Estados Unidos de Norte Amérca

"No está aquí, sino que ha resucitado" (Lucas 24:6)

Foto de portada por Crystal Coleman

Cubierta y diseño interior por Jacob F. Frandsen

DEDICATORIA

A todos aquellos que buscan las bellas verdades del Evangelio Restaurado de Jesucristo.

Así como un tributo especial a Judith Rene'e England Coleman, mi amada esposa, a través de quién el Señor me trajo este glorioso mensaje.

ÍNDICE

PREFACIO

¿Nos hemos preguntado alguna vez qué significa vivir? ¿Si acaso nuestra vida y nuestras experiencias aquí en la tierra tienen un propósito? ¿Qué es la felicidad? ¿Estamos ustedes y nuestras familias buscando la felicidad verdadera? Existen ciertas realdades acerca de la vida y sus propósitos que necesitamos conocer. También existen sendas por las cuales podemos guiarnos hacia una felicidad mayor a la que conocemos y una vida más significativa aquí en la tierra. No permaneceremos para siempre aquí en la tierra. Por lo tanto, ¿cuál será la mejor manera de prepararnos para el futuro?

Mientras examinamos nuestras vidas, nuestras familias, nuestros trabajos y nuestras metas, ¿nos damos cuenta de la potestad de Dios en todo? Dios sí vive y sí ha creado un plan maravilloso por el cual podremos gozar de una vida con un propósito verdadero, y por el cual podremos obtener seguridad y confianza para el futuro.

La esperanza en el futuro puede ser reforzada, las familias pueden gozar de unidad, y el hecho de vivir puede convertirse en una tarea agradable mientras incorporemos ciertos principios en nuestras experiencias diarias. Paz consigo mismo se adquiere cuando nuestra vida es guiada por medio de principios correctos.

Se nos presentará una manera de vivir que es practicada a diario por los miembros de la Iglesia de Jesucristo de los Santos de los Últimos Días, los Mormones. ¿A qué se debe que esta Iglesia sea una de las Iglesias Cristianas de mayor crecimiento en el mundo, en días donde las instituciones religiosas y los valores morales se están deteriorando a nuestro alrededor?

Este libro fue escrito con el fin de enfocar las enseñanzas del evangelio restaurado de Jesucristo. En estas páginas descubriremos principios verdaderos que antes, por algún motivo, nos eludieron.

Descubriremos nuestra verdadera entidad, el por qué fuimos puestos aquí en la tierra y lo que podremos lograr de nosotros mismos. Es el propósito de este libro tratar a fondo la relación entre nuestras vidas personales y dichos principios.

Hermanos, nuestros amigos no miembros tienen muchas preguntas acerca de la Iglesia y de la vida en general. Compartir el evangelio con ellos es una experiencia maravillosa. Este libro fue escrito con el propósito de presentar los principios básicos del evangelio a los no miembros. Fue escrito bajo el punto de vista de un converso.

También este libro tendrá valor para los misioneros y para los miembros jóvenes de la Iglesia.

El trabajo misional representa el gozoso aspecto de: "amar a vuestro prójimo como a vosotros mismos". A través de esta obra veremos realizarse la Sección 18 del libro Doctrina y Convenios:

> "Recordad que el valor de las almas es grande en la vista de Dios;
>
> Porque, he aquí, el Señor vuestro Redentor padeció la muerte en la carne; por tanto, sufrió el dolor de todos los hombres, a fin de que todo hombre pueda arrepentirse y venir a él.
>
> Y ha resucitado de entre los muertos, para poder traer a todos los hombres a él, con la condición de que se arrepientan.
>
> ¡Y cuán grande es su gozo por el alma que se arrepienta!
>
> Así que, sois llamados a proclamar el arrepentimiento a este pueblo.
>
> Y si acontece que trabajáis todos vuestros días proclamando el arrepentimiento a este pueblo y me traéis, aun cuando fuere una sola alma, ¡cuán grande será vuestro gozo con ella en el reino de mi Padre!
>
> Ahora, si vuestro gozo será grande con un alma que me hayáis traído al reino de mi Padre, ¡cuán grande no será vuestro gozo si me trajereis muchas almas!" (Doctrina y Convenios 18:10'16)

Extendemos las gracias más sinceras a todas aquellas personas que han inspirado a otros a compartir el evangelio con sus amistades, familiares y demás conocidos. El contenido de este libro es responsabilidad del autor. Esta obra no es una publicación oficial de la Iglesia de Jesucristo de los Santos de los Últimos Días, pero se basa en los principios que allí se enseñan.

INTRODUCCIÓN

"Mamá, ¿somos cristianos?"

Soy un cristiano devoto sumamente afortunado de tener mayor conocimiento de la verdadera "doctrina de Cristo" desde mi conversión a la Iglesia restaurada.

El cristianismo celebra la vida y el ministerio de Jesucristo, el Hijo Unigénito de Dios el Eterno Padre. Hay iglesias Cristianas con grandes variaciones de doctrina por todo el mundo. Cuando Cortnee, la hija de un presidente de misión, tenía catorce años e iniciaba el año noveno en sus estudios en una nueva escuela, sus compañeros le preguntaron si era Cristiana. Se burlaron de ella cuando respondió que era Mormona, nombre por el que se conoce a La Iglesia de Jesucristo de los Santos de los Últimos Días. Al llegar a casa ella le preguntó a su madre: "Mamá, ¿somos Cristianos?".

Durante mi niñez, mi familia era miembro devoto de otra fe Cristiana. Se me bautizó como miembro de esa iglesia poco después de mi nacimiento, y nuestra familia iba a la iglesia cada semana. Por muchos años mis hermanos y yo ayudamos a los pastores que dirigían los servicios dominicales. Nuestra familia oraba junta cada día, lo que me enseñó la importancia de la oración familiar. Pensé que algún día me haría clérigo de tiempo completo de mi iglesia. No había duda en nuestra mente que nos podíamos catalogar como Cristianos devotos.

Sin embargo, cuando era estudiante universitario, llegué a familiarizarme con los miembros y las enseñanzas de La Iglesia de Jesucristo de los Santos de los Últimos Días: una fe Cristiana centrada en el Salvador. Comencé a aprender en cuanto a la doctrina de la restauración del evangelio de Jesucristo en estos últimos días. Aprendí verdades que no había conocido antes, las cuales cambiaron mi vida y la forma en que percibía el Evangelio. Después de mucho estudio, oración y fe, decidí aceptar las bellas verdades restauradas que sólo se encuentran en esta Iglesia.

La primera verdad restaurada que aprendí fue la naturaleza de la Trinidad. En los tiempos bíblicos se conocía la verdadera doctrina Cristiana donde la Trinidad consta de tres personajes distintos. En varias ocasiones, Dios dio testimonio de Jesús, Su Hijo Unigénito. Habló en el bautismo de Jesús: "Este es mi hijo amado, en quien tengo complacencia"[1]. Jesús mismo testificó de Dios, Su Padre, al decir: "Y esta es la vida eterna: que te conozca a ti, el único Dios verdadero, y a Jesucristo, a quien has enviado"[2]. Después de la muerte y resurrección de Jesús, aprendemos que "Esteban, lleno del Espíritu Santo, puestos los ojos en el cielo, vio la gloria de Dios, y a Jesús que estaba a la diestra de Dios, y dijo: "He aquí, veo los cielos abiertos, y al Hijo del Hombre que está a la diestra de Dios"[3]. Que testimonio tan espectacular de la Trinidad expresó aquel discípulo de Cristo.

El conocimiento con respecto a Dios y el hecho de que es un ser distinto de Su hijo y del Espíritu Santo se perdió después de la muerte de Cristo y de Sus apóstoles. La confusión y las doctrinas falsas en cuanto a la Trinidad fueron producto del Credo de Nicea y de los consejos de Constantinopla, donde hombres declararon que en vez de ser tres personajes distintos, la Trinidad se componía de tres personajes en un solo Dios. De la misma forma en que los reformadores protestantes Cristianos tuvieron problemas con esos credos de hombres, yo también los tenía. Las enseñanzas que aprendí en mi juventud en cuanto a la Trinidad eran incomprensibles para mí.

Sin embargo, cuando me enseñaron las gloriosas verdades de la Primera Visión que tuvo el Profeta José Smith, fue para mí un abrir de ojos sensacional comprender al fin la verdad en cuanto a la naturaleza de Dios el Eterno Padre y Su Hijo Unigénito. José declaró: "Vi en el aire arriba de mí a dos Personajes, cuyo fulgor y gloria no admiten descripción. Uno de ellos me habló llamándome por mi nombre, y dijo, señalando al otro: Éste es mi Hijo Amado*: ¡Escúchalo!"4* Esa visión celestial restauró una vez más a la tierra el conocimiento maravilloso, claro y precioso de Dios y de Su Hijo, disipando inmediatamente las enseñanzas que yo había aprendido en cuanto a la Trinidad.

Sé que las revelaciones celestiales han reemplazado los graves errores de doctrinas elaboradas por hombres en lo que concierne a la Trinidad. Sé que Dios es nuestro Padre Celestial. Su Hijo, Jesucristo, es mi Salvador. El Espíritu Santo testifica del Padre y del Hijo. Expreso mi profunda gratitud a Dios por presentar al Señor Jesucristo resucitado a la humanidad en estos últimos días. El Salvador vive, se le ha visto, ha hablado. Él dirige la obra de Su Iglesia hoy día por medio de apóstoles y profetas. Cuán maravillosas verdades ha enseñado como el Buen Pastor que continúa velando por Sus ovejas.

La segunda verdad restaurada que aprendí como investigador de esta Iglesia fue la existencia de Escrituras y revelación adicionales. El profeta Isaías vio en una visión un libro, y proclamó que era parte de "una obra maravillosa y un prodigio"[5]. Testifico que el Libro de Mormón: Otro Testamento de Jesucristo, es tal libo. Es un registro sagrado que los profetas de Dios escribieron para persuadir a todas las personas a venir a Cristo, y ayuda a revelar el evangelio de Jesucristo en su plenitud. El Libro de Mormón habla de profetas y otros miembros fieles de la Iglesia que tomaron sobre sí el nombre de Cristo, aún antes del nacimiento del Salvador[6] Este libo relata del Cristo resucitado que enseña a las personas lo que deben hacer para obtener paz en esta vida y salvación eterna en el mundo venidero. ¿Qué podría ser más cristiano que procurar tomar sobre nosotros Su nombre y seguir Su consejo para ser como Él?

El presidente Gordon B. Hinckley dijo: "No puedo comprender por qué el mundo cristiano no acepta este libro"[7] A la edad de veintiún años leí por primera vez el Libro de Mormón; después pregunté a Dios si era verdadero. El poder consolador del Espíritu Santo[8] me manifestó la veracidad de este libro. Sé que el Libro de Mormón es un segundo testamento de Jesucristo. Uno mi testimonio al de los profetas de este libro sagrado para declarar que "Hablamos de Cristo, nos regocijamos en Cristo, predicamos de Cristo, profetizamos de Cristo"[9]. Estoy sumamente agradecido por cada palabra que Él ha dicho, y por cada palabra que continúa diciendo al saciar nuestra sed con agua viva.

Otra verdad restaurada del Evangelio con la cal llegué a familiarizarme fue la restauración de la autoridad del sacerdocio, o el poder de actuar en el nombre de Dios. Dios y Cristo han enviado, en nuestros días a profetas y apóstoles de la antigüedad, tales como Elías el Profeta, Moisés, Juan el Bautista, Pedro, Santiago y Juan, para restaurar el santo sacerdocio de Dios. Cada poseedor del sacerdocio de esta Iglesia puede determinar el origen de la autoridad de su sacerdocio directamente hasta Jesucristo. Los hombres ahora poseen las llaves para establecer la Iglesia para que podamos venir a Cristo y participar de Sus ordenanzas eternas de Salvación[10]. Testifico que ésta Iglesia de Jesucristo – la única Iglesia fundada con la verdadera autoridad del sacerdocio para ejercer las llaves de salvación por medio de ordenanzas sagradas.

Cortnee preguntó: "Mamá, ¿somos Cristianos?". En calidad de miembro de La Iglesia de Jesucristo de los Santos de los Últimos Días, tú eres Cristiana y yo también. Soy un Cristiano devoto, sumamente afortunado de tener mayor conocimiento de la verdadera "doctrina de Cristo"[11] desde mi conversión a la Iglesia restaurada. Por estas verdades se determina que esta Iglesia posee la plenitud del Evangelio de Jesucristo. Al igual que otros miembros de la Iglesia, ahora entiendo la verdadera naturaleza de la Trinidad, tengo acceso a Escrituras y revelación adicionales, y puedo participar de las bendiciones de la autoridad del sacerdocio. Sí, Cortnee, somos Cristianos, y testifico de estas verdades en el nombre de Jesucristo. Amén.

1 Mateo 3:17.
2 Juan 17:3.
3 Hechos 7:55-56
4 José Smith – Historia 1:17.
5 Véase Isaías 29:14; véanse también los versículos 11-12, 18.
6 Véase Alma 46:14-16.
7 "El maravilloso fundamento de nuestra fe", *Liahona*, noviembre de 2002, pág. 81.
8 Véase Moroni 10:4-5.
9 2 Nefi 25:26.
10 Véase D/C 2; 13; 110; 112:32.
11 2 Nefi 31:2; véase también 3 Nefi 11:31-36.

Capítulo 1

Y TE PREGUNTAS, ¿QUÉ HAY EN TODO ESTO PARA MÍ?

Idea Principal: Mantener nuestras mentes siempre abiertas a nuevas verdades: la verdad libera al hombre.

¿Tiene relevancia la religión hoy en día? ¿Existe alguna religión que conteste nuestras muchas preguntas acerca de la vida y de la muerte? ¿Qué hace uno en un dilema religioso? Yo estaba turbado por las contradicciones entre las escrituras bíblicas y las prácticas de la religión a la cual pertenecía. Aunque toda mi vida trate de adorar y servir a Dios, nunca pude sentir una relación íntima con ese Dios que se me había inculcado como un ser "incomprensible". Examiné mi manera de honrar a Dios y la encontré superficial, estancada, y sin significado.

En la iglesia a la cual pertenecía jamás se habló acerca de la revelación moderna. La única razón por la cual se mencionaban a los profetas era para acatar las revelaciones de los registros antiguos. Se me enseñó que el hecho de desear o anticipar un profeta en estos días, era ir en busca de un profeta falso y que el hecho de buscar respuestas a nuestras dudas en otras religiones era pecado mortal. Continuar en el estado en el que me encontraba me parecía deshonesto, más incurrir en la cólera por la desobediencia y la ociosidad me era insoportable.

Toda mi vida trabajé para llegar a ser sacerdote. Entre más cerca me encontraba a la consagración de mi vida dentro de un seminario teológico, más era mi necesidad de encontrar paz en la religión. Quería religión en mi vida, quería fe, quería trabajar en la obra del Señor, quería honrar a mis padres y a mis mayores. Más que nada quería y buscaba la seguridad del Espíritu Santo en cuanto a dedicar mi vida a ser sacerdote. Creía que la iglesia a la cual pertenecía era la verdadera, oraba y esperaba que en verdad lo fuera. Aun después de todo esto me sentía insatisfecho, algo faltaba. Fui en busca de otros sacerdotes para pedir consejo. Mis preguntas quedaron sin respuesta. La duda, y el misterio combatieron mis esfuerzos por obtener respuestas.

LA ÚNICA IGLESIA VERDADERA

Un día conocí a una persona que dijo pertenecer a La Iglesia de Jesucristo de los Santos de los Últimos Días, la única iglesia verdadera sobre la faz de la tierra. A mí se me había enseñado que mi iglesia era la única iglesia verdadera. ¿Cómo podía otra iglesia hacer tal declaración? Así emprendí mi jornada fantástica en la que me enfrente a la doctrina verdadera, la interpretación verdadera de las escrituras sagradas, y la verdad absoluta. Empecé a tratar y a conocer a los Mormones, quienes formalmente se llaman miembros de La Iglesia de Jesucristo de los Santos de los Últimos Días. Ellos me introdujeron a una manera de vivir que ha penetrado todo mi ser.

Permítanme compartir con ustedes algunas cosas que he aprendido acerca de esta iglesia extraordinaria. Me gustaría tratar ciertos sentimientos que han penetrado mi corazón al ir descubriendo el evangelio verdadero de Jesucristo. ¿Quién iba a pensar que el Mormonismo fuera poseedor de las llaves de todas las verdades y todos los conocimientos que muchos nunca siquiera han imaginado que existan?

Probablemente se están diciendo a si mismos ¿y qué? ¿Qué hay en todo esto para mí? Si en verdad tomamos en serio esta última pregunta, entonces nos debemos a nosotros mismos la respuesta. Hagamos una observación nueva y fresca de la vida y su significado verdadero. La vida consta de muchas cosas, más de las que se da cuenta mucha gente. Mi mensaje es sencillo. Hay aspectos de la vida que en verdad tienen importancia. Permítanme ayudarles a descubrir algunas respuestas a ciertas dudas que serán un desafío a su misma esencia.

Mi conversión a la Iglesia de Jesucristo de los Santos de los Últimos Días no fue algo inesperado. Miles de personas están descubriendo las mismas cosas que yo descubrí hace pocos años. Estas personas tenían preguntas acerca de los propósitos de la vida y no tuvieron temor de exponerse a nuevas ideas. Siempre existirán ciertos sentimientos de temor y lucha asociados con el cambio y rompimiento de las tradiciones. La vida está llena de desafíos sobre los cuales debemos salir triunfantes.

MUCHAS PREGUNTAS ACERCA DE LA VIDA SERÁN CONTESTADAS

El hecho de ponernos a meditar en el propósito de la vida es inevitable, es materia de consecuencias eternas que el hombre se pregunte seriamente dónde se encuentra en relación a lo que está a su disposición. ¿Quién soy? ¿Qué hago aquí en la tierra? ¿Por qué nací en estos tiempos? Es necesario conocer las respuestas de estas preguntas ya que ellas nos ayudarán a solucionar los problemas que se encuentran en el trabajo, en el matrimonio, y en la tarea de planear un futuro exitoso.

Todos queremos solucionar nuestros problemas. Todos deseamos lograr la felicidad. Sin embargo, la felicidad duradera solamente se encuentra relacionada con aquellos que tienen un propósito. ¿Cuál es el propósito de nuestra vida? ¡Esta respuesta jamás la conocerán hasta sean expuestos a lo que yo he sido expuesto y hasta que lleguen a conocer lo que yo he conocido! Hasta que en verdad puedan palpar el significado de la vida y su propósito no conocerán la felicidad verdadera. Su misma esencia siempre los impulsará a preguntarse. ¿Es esto todo de lo que consta la vida?

Examinemos el Mormonismo y descubriremos nuestra misma esencia. Nos es dada una oportunidad maravillosa de desarrollar todo nuestro potencial. Nuestra capacidad de alcanzar nuevas cumbres de propósito y cumplimiento es representada en el siguiente poema:

El Toque de la Mano del Maestro

Estaba estropeado y rayado, y el subastador
Pensaba que su tiempo perdía
Al querer subastar un viejo violín,
Más así lo mostró a la gente
Con una sonrisa en la cara
¿Cuánto me dan por él, buena gente? gritó él.
¿Quién empezará la subasta?

"Un dólar, un dólar," gritó uno.
"Dos," gritó otro.
¿Solamente dos? repuso el subastador.
¿Quién me da tres? grito de nuevo.
¿Quién me da tres? preguntó el subastador.
Más nadie contestó.
Un hombre de cabello canoso que se
Encontraba en los límites del cuarto
Se encaminó hasta donde se
Encontraba el subastador.
Levantó el arco:
Sacudió el polvo del violín,
Y afinando las cuerdas
Empezó a tocar en él.
Una melodía dulce y pura
Digna de ser acompañada
Por un coro de ángeles.
La melodía terminó.
El subastador en voz suave y baja
Dijo: ¿Cuánto me dan por este viejo violín?
Y les mostró el violín y el arco.
¡Mil dólares! ¿Quién da dos mil?
¡Dos mil dólares! ¿Quién da tres?
"Tres mil dólares, uno".
"Tres mil dólares, dos".
"Tres mil dólares, tres".
"Tres mil dólares vendido" gritó al fin el subastador.
Mucha gente se regocijó, algunos de ellos lloraron,
Otros no entendieron y se preguntaban,
¿Qué cambió su valor?
La respuesta vino enseguida, "El toque de la mano del Maestro".
Muchos hombres llevan una vida vana
De fe destruida y cicatrizados por el pecado
También son subastados como peones
De poco precio al inconsciente gentío,
Así como el viejo violín.

Y es que han degradado sus vidas
Con vino y juegos bajos.
Así caminan por la vida,
Y todos dan poco por él.
Ms llega de pronto el Señor,
Y el inconsciente gentío nunca comprende
Como el valor de tal alma
Puede de pronto cambiar
Con el toque de la mano del Maestro.

—Myra Brooks Welch
"The Touch of the Master's Hand"
The Best Loved Poems of the American People, p.222

Capítulo 2

HOMBRE – ¿QUIÉN ERES?

La Idea Principal: Somos hijos de Dios. El hombre tiene un potencial divino.

Las enseñanzas de La Iglesia de Jesucristo de los Santos de los Últimos Días, con respecto al hombre, son únicas. Los aspectos sublimes de nuestra naturaleza eterna son definidos de una manera admirable por las doctrinas de esta iglesia verdadera y viviente. El potencial del hombre es elevado a tales cumbres que un significado nuevo y gran propósito es dado al plan de la vida. En cuanto empezamos a conocer nuestra identidad verdadera somos impulsados con un mejor deseo de lograr nuestro destino divino. Consecuentemente, el trabajo y las acciones reflejarán nuestra verdadera naturaleza.

Hay dos enseñanzas acerca del hombre de mucha significancia. Una de éstas nos explica que el hombre es producto de mentes sin inspiración. Las teorías, filosofías, dogmas y retóricas del hombre concernientes a la naturaleza verdadera del hombre se pueden unir y clasificar como necesidades. El hombre jamás aspirará a metas más altas que a las que percibe su potencial. La otra enseñanza es la siguiente: el hombre es hijo auténtico del Dios Eterno.

LA NATRALEZA ETERNA DE LA HUMANIDAD

Mucha información ha sido revelada por Dios acerca de la naturaleza del hombre. La Biblia claramente señala la pre-existencia del hombre. El Señor habló con el profeta Jeremías con respecto a la pre-existencia del hombre.

> "Antes que te formase en el vientre te conocí, y antes que nacieses te santifiqué, te di por profeta a las naciones" (Jeremías 1:5).
>
> Así como el Señor conocía a Jeremías, también nos conocía a cada uno de nosotros en la pre-existencia. Todos somos hijos espirituales de Él. Él es nuestro Padre Celestial. Vivimos en Su presencia antes de venir a la tierra y adquirir nuestros cuerpos mortales.
>
> El plan del Señor es en verdad más extenso que lo que iremos a experimentar aquí en la tierra. Nuestro libre albedrío fue puesto a prueba antes de que bajásemos a la tierra. Nuestra elección de seguir a Jesucristo fe hecha eternidades antes de nacer. No estaríamos aquí si no hubiéramos decidido sostener el plan de seguir a Jesucristo a la tierra. Escogimos venir a la tierra y tener la oportunidad de trabajar por aquello que nos hiciera dignos de retornar a la presencia de Dios.
>
> Cuando el plan de Dios se nos presentó en la pre-existencia hubo algunos que lo rechazaron y otros que lo aceptaron. Aquellos que lo rechazaron y que estaban en contra de la voluntad de Dios fueron arrojados de Su presencia por rebelión (la guerra en el cielo – Apocalipsis 12:7). Los hijos espirituales de Dios quienes aceptaron el plan fueron merecedores de permanecer con Él. Como consecuencia de ser valientes en honrar a Dios y a Cristo en esa batalla, cumpliendo con los términos y condiciones, mantuvimos nuestro primer estado al agrado de Dios. Allí mostramos ser dignos de ser probados en la mortalidad, que es nuestro segundo estado. Entonces fue preparada la tierra como nuestra morada donde de nuevo podríamos mostrarnos valientes en seguir y sostener todo lo que viniese de Dios y Cristo. Las escrituras así lo explican:

> "Y con esto los probaremos, para ver si harán todas las cosas que el Señor su
>
> Dios les mandare;
>
> Y a los que guarden su primer estado les será añadido; y aquellos que no guarden su primer estado no tendrán gloria en el mismo reino con los que guarden su segundo estado, les será aumentada gloria sobre su cabeza parasiempre jamás" (Abraham 3:25-26).

Estos pensamientos han sido ilustrados por Eliza R. Snow en su hermoso himno. Este himno habla acerca de algunas de nuestras experiencias en la pre-existencia.

OH MI Padre

Oh mi Padre, Tu que moras en el celestial hogar.
¿Cuándo volveré a verte y tu santa faz mirar?
¿Tu morada antes era de mi alma el hogar?
En mi juventud primera, ¿fue Tu lado mi altar?
Pues por Tu gloriosa mira vine al mundo a morar,
Olvidando los recuerdos de mi vida premortal.
Pero algo a menudo dice: "Tú errante vas";
Siento que un peregrino soy, de donde Tú estás.
Antes de llamaba Padre, sin saber por qué lo fue.
Mas la luz del Evangelio aclaróme el porque
¿Hay en los cielos padres solos? Clara la verdad está;
La verdad eterna muestra: madre hay también allá.
Cuando deje esta vida y deseche lo mortal,
Padre, madre, quiero veros en la corte celestial.
Sí, después que yo acabe cuanto tenga que cumplir,
Permitidme ir al cielo con vosotros a vivir.
(Himnos de los Santos de los Últimos Días, Deseret Book Co., No. 187)

¿Dónde en todo el mundo pueden encontrar una enseñanza más sublime del destino del hombre que en la Iglesia que lleva el nombre de Él? – La Iglesia de Jesucristo de los Santos de los Últimos Días. Consideremos las preguntas que han inquietado al hombre a través de su permanencia temporal aquí en la tierra. Ahora, consideremos la emoción y la esperanza que ha de sentir al encontrarse con las respuestas. ¿Quién soy? Soy un hijo de Dios. ¿De dónde vengo? Vengo de la presencia de mi Padre Celestial. ¿Por qué estoy aquí? Para alcanzar mi salvación eterna así como lo dispuse en mi primer estado. ¿Adónde voy después de esta vida? Regreso a la presencia de mi Padre Celestial después de haber completado con éxito el trabajo de mi segundo estado. No hay duda del por qué los Mormones fieles poseen ese sentido de dirección y seguridad que les penetra hasta el propio ser y que les otorga calidad en su manera de vivir. La vida tiene un propósito maravilloso, si es posible comprender por qué estamos aquí y cuál es nuestro destino. Aspiramos a alturas logradas por aquellos que han pagado el precio de la obediencia.

NUESTRO POTENCIAL ES GLORIOSO

La calidad de nuestra manera de vivir se relaciona directamente con el entendimiento que se tiene de nuestro destino. Las enseñanzas del hombre han relegado al ser humano a un nivel bajo en propósito y significado por la vida. Las filosofías del hombre cada vez se vuelven más ateas y consecuentemente la humanidad va perdiendo el concepto del propósito verdadero de su estancia en la tierra. Gran parte de la gente vive concentrada en el egocentrismo, en el pecado, y en afán de adquirir lo mundano. El hombre, un ser eterno, vive como si su ignorancia en lo espiritual y en las cosas eternas le empujaran al olvido de su naturaleza divina.

Dios nos ha dado las escrituras para que de ellas podamos aprender quienes somos verdaderamente. Los Santos de los Últimos Días unen datos bíblicos con datos que han sido revelados en estos días para proporcionarnos la identidad verdadera del hombre en relación a la tierra. Las filosofías del hombre jamás podrán alcanzar el nivel de entendimiento perfecto acerca de la naturaleza del hombre porque sus fundamentos no han sido de inspiración divina. El hombre debe reconocer su fuente divina para comprender su destino divino.

No estamos solos aquí en la tierra. Sin embargo muchos hijos de Dios han perdido hasta la noción del por qué aceptaron venir a la tierra. Muchos no han permitido que el Espíritu Santo les guiara en la búsqueda de una vida más significativa.

Estamos aquí para demostrar nuestra obediencia, la misma obediencia que les rendimos a Dios el Padre y a Jesucristo en nuestro primer estado.

¡Nuestro estado presente es lamentable! Echamos fuera a Dios de nuestras vidas, refutamos la divinidad del Hijo de Dios, Jesucristo, y le rendimos honor a ídolos mundanos, el dinero, las riquezas, el nivel social y la educación. Con razón la paz no está con nosotros; estamos siempre prontos a quebrantar los mandamientos de Dios. Muchos hijos de Dios menosprecian el día de reposo y no lo guardan. Toman el nombre de Dios en vano, hurtan, mienten, asesinan, cometen adulterio, desobedecen y deshonran a sus padres y ambicionan los bienes de su prójimo.

¿Actuamos como hijos e hijas de Dios al caer en estas transgresiones? Frecuentemente vamos de acuerdo con las filosofías de los hombres. El problema es que no vivimos de acuerdo a nuestras capacidades divinas.

NADIE RECUERDA SU VIDA EN LA PRE-EXISTENCIA

Al bajar a la tierra un velo delgado fue puesto en nuestra memoria para impedirnos recordar la pre-existencia. Sin embargo, podemos penetrar este velo escudriñando las escrituras, orando, practicando las enseñanzas de líderes inspirados, y así poco a poco podremos ir comprendiendo la pre-existencia y así llegar a un conocimiento más perfecto de nosotros mismos. Al adquirir este conocimiento, la oposición se nos presenta en pleno apogeo. Las tentaciones también nos desvían de este camino. Nuestra naturaleza divina nos ayudará a sobreponernos a todo contratiempo siempre y cuando le prestemos atención y acudamos a ella, si no, continuaremos en la búsqueda del propósito y significado de la vida en medio de amargura y confusión. Debe ser obvio que las cosas de Dios son enseñadas a la manea que Él dispone. El hombre por sí solo jamás podría enseñar las verdades eternas del propósito de nuestra existencia. Es a Dios a quien debemos buscar para tener estas respuestas. A aquellos que han buscado, encontrado y probado este conocimiento viene la certeza de que la vida en la tierra no es más que una experiencia momentánea en el esquema eterna de existencia.

De Dios heredamos nuestros espíritus, por lo tanto, somos hijos espirituales de Él. La mortalidad nos trajo el regalo de un cuerpo físico a través de nuestros padres terrenales. Cuando nuestro espíritu entró en nuestro cuerpo físico, resultamos ser almas vivientes (Abraham 5:7). Por lo tanto, nuestro espíritu eterno morará en nuestros cuerpos mortales mientras permanecemos aquí en la tierra. Al morir, nuestro cuerpo y nuestro espíritu se separarán. El espíritu no muere por ser eterno, irá al mundo de los espíritus a esperar el día de la resurrección cuando el cuerpo será resucitado e inmortalizado. Entonces, nuestro cuerpo y espíritu se unirán de nuevo eternamente. La muerte no afecta nuestra identidad, sencillamente nos introduce a otro estado de nuestra existencia.

¿CUÁL ES EL PROPÓSITO VERDADERO DE LA VIDA?

El propósito de esta vida es probar si somos dignos de volver a la presencia de nuestro Padre Celestial. Ya que vivimos con El antes de bajar a la tierra, hemos de estar sumamente deseosos de volver a asociarnos con El. Por el velo del olvido que nos impide recordar la pre-existencia podemos ejercer nuestro derecho de escoger entre el plan de Dios y nuestra propia voluntad. Necesitamos pedirle a nuestro Padre Celestial que permita que el Espíritu Santo esté siempre con nosotros guiándonos a nuestro último y gran destino, ya que Él puede testificarnos de la veracidad del evangelio de Jesucristo. Ya empapados en el evangelio podremos calificar para vivir una vida semejante a la que vive Él; entonces juntamente con Cristo, seremos herederos del reino de Dios (Romanos 8:16-17).

Sé que el hombre es hijo de Dios. He llegado a comprender el propósito de la vida a través de las enseñanzas que han sido inspiradas por Dios. Ustedes también pueden saber como yo sé. . . que estas cosas son verdaderas.

Referencias adicionales: Efesios 1:3-4, Abraham 3:22-24; Hebreos 12:9; Juan 1:1-2; Doctrina y Convenios 93:21; Hechos 17:26-29.

CAPÍTULO 3

LA TRINIDAD

Idea Principal: Dos seres tangibles y uno espiritual constituyen la Trinidad. Ellos son Dios el Padre, Jesucristo, y el Espíritu Santo.

El conocimiento valioso que se ha dado al hombre es la identidad verdadera de Dios el Padre. Jesucristo, y del Espíritu Santo. Estos tres seres divinos constituyen la verdadera y viviente Trinidad. La Trinidad es una realidad que el hombre debe comprender con el fin de ganarse la vida eterna. Las escrituras grabaron las palabras de Jesús mientras le oraba a su Padre Celestial:

> "Estas cosas habló Jesús y levantando los ojos al cielo, dijo: Padre, la hora ha llegado; glorifica a tu Hijo, para que también tu Hijo te glorifique a ti;
>
> Como le has dado potestad sobre toda carne, para que dé vida eterna a todos lo que le diste.
>
> Y esta es la vida eterna: que te conozcan a ti, el único Dios verdadero, y a Jesucristo, a quien has enviado" (Juan 17:1-3).

La religión verdadera proveerá al hombre la vía para establecer una relación personal con nuestro Padre Celestial y Jesucristo. Esta relación puede lograr por medio de la revelación personal que el Espíritu da al hombre. El Espíritu Santo siempre nos revelará ideas correctas concernientes a Dios y a Jesucristo. Si no podemos aceptar el concepto de revelación personal, entonces estaremos incapacitados para conocer a Dios y a Su Hijo Jesucristo.

Las doctrinas del hombre han hecho creer a la humanidad que Dios es incomprensible. ¿Cuándo enseñó Dios este concepto? ¡Cualquiera que crea tal doctrina se ha alejado de Dios! Jesucristo enseñó:

"... y esta es la vida eterna: que te conozcan a ti, el único Dios verdadero, y a Jesucristo, a quien has enviado" (Juan 17:3).

En verdad podemos conocer a Dios, a Su Hijo Jesucristo, y al Espíritu Santo.

El Señor aconsejó de la siguiente manera a José Smith poco tiempo después de la organización de La Iglesia de Jesucristo de los Santos de los Últimos Días:

"No buscan al Señor para establecer su justicia, antes todo hombre anda por su propio camino, y en pos de la imagen de su propio Dios, cuya imagen es a semejanza del mundo y cuya substancia es la de un ídolo, que se envejece y perecerá en Babilonia, sí, Babilonia la grande que caerá" (Doctrina y Convenios 1:16).

¿Qué imagen tiene su Dios? ¿Es un Dos creado por hombres o es en verdad su Padre Celestial?

DIOS EL PADRE ES UN SER DISTINTO A SU HIJO JESUCRISTO

Cuando el Padre y el Hijo se manifestaron a José Smith, restauraron el conocimiento de la Trinidad (véase el capítulo 7). Hace miles de años Moisés grabó en el libro de –Génesis que Dios creó:

"... al hombre a su imagen, a la imagen de Dos lo creó; varón y hembra los creó"

(Génesis 1:27).

Es evidente que si el hombre fue creado a semejanza de Dios, es como Dios. El Presidente Joseph F. Smith dijo:

"El Salvador, Jesucristo, concebido de Dios, es semejante a su Padre, pareciéndose a Él a tal grado que en una ocasión dijo 'Aquel que me ha visto ha visto al Padre'. Puedo ver a un niño, cuyos ojos y cuya cara es parecida a la de su padre. Es perfecta esta semejanza entre el padre y el hijo. Por supuesto que podemos distinguir entre el padre y el hijo, el padre es mayor que el hijo. Jesucristo fue creado a semejanza de su Padre, las mismas facciones, la misma clase de cuerpo. Jesús se parece tanto al Padre que si le viéramos, le veríamos semejante a Su Padre" (Box Elder News, 1915).

La Primera Visión verificó esta enseñanza (véase el capítulo 7). José Smith vio a dos seres parados en el aire frene a él. Vio a Dios el Padre y a su lado a Jesucristo. Desde ese momento en adelante jamás tuvo dudas en cuanto a la realidad de la Trinidad; supo que estos tres seres eran sin duda distintos y separados. Iluminado por este conocimiento, José ahora comprendía y enseñaba la verdad de estos seres tangibles y celestiales. Ahora podía destruir las enseñanzas que eran promulgadas en el mundo por hombres sin inspiración. Las escrituras de la Iglesia de Jesucristo nos enseñan que:

> "El Padre tiene un cuerpo de carne y huesos, tangible como el del hombre; así también el Hijo; pero el Espíritu Santo no tiene un cuerpo de carne y huesos, sino que es un personaje de espíritu. De no ser así, el Espíritu Santo no podría morar en nosotros" (Doctrina y Convenios 130:22).

Cuando José Smith fue al bosque para pedirle a Dios que le dijera a cuál iglesia debía unirse, ignoraba que el poder y gloria de la Trinidad verdadera se manifestaría de una manera tan maravillosa. El poder y la influencia del Espíritu Santo descendieron sobre José Smith para prepararlo para la presencia de Dios el Padre y su Hijo Jesucristo. Estuvo entonces preparado para ver y hablar con estos dos personajes celestiales. José escribió:

> "Uno de ellos me habló, llamándome por mi nombre, y dijo señalando al otro: '¡Este es mi Hijo Amado, escúchalo!"

En el bautismo de Jesús hace cerca de 1,800 años, este mismo ser, Dios el Padre, dijo:

> "Este es mi Hijo Amado, en quien tengo complacencia" (Mateo 3:17; Perla de Gran Precio, José Smith 2:17).

JESUCRISTO ERA EL JEHOVÁ DEL ANTIGUO TESTAMENTO

El papel que desempeñó Jesucristo antes de encarnar en la tierra fue el Creador, Jehová. Jehová obro bajo la dirección de Su Padre en todo lo concerniente a la creación. Notamos como es ilustrado este concepto en la oración que le ofreció Jesús a su Padre:

> "Ahora pues, Padre, glorifícame tú al lado tuyo, con aquella gloria que tuve contigo antes que el mundo fuese" (Juan 17:5).

Jehová fue el Dios de Abraham, el Dios de Isaac, y el Dios de Jacob (Éxodo 3:15). Fue Jehová quien le dio la ley a Moisés. Recordemos la cólera de Jesús cuando se enfrentó con los sacerdotes en el templo y dijo "yo soy" (Juan 8:58). "Yo soy" es uno de los títulos del Dios del Antiguo Testamento. ¿Están familiarizados con el relato de Jesús resucitado mientras caminaba con dos de sus discípulos entre Jerusalén y Emaus? En esta ocasión se proclamó como Jehová:

> "Y comenzando desde Moisés, y siguiendo por todos los profetas, les declaraba en todas las Escrituras lo que de Él decían" (Lucas 24:27).

¿Quién les dio a los profetas del Antiguo Testamento las profecías concernientes a la venida de Jesucristo a la tierra? Fue Jehová, uno de la Trinidad, en espíritu. Jesús vino de la presencia de Dios el Padre para efectuar, en el nombre del Padre, el proceso de la creación y también los primeros 4,000 años de la historia del hombre.

EL ESPÍRITU SANTO ES UN PERSONAJE DE ESPÍRITU

El Espíritu Santo es otro miembro de la Trinidad. El Espíritu Santo no tiene un cuerpo de carne y huesos, sino es un personaje de Espíritu. De no ser así, el Espíritu Santo no podría morar en nosotros (Doctrina y Convenios 130:22). El Presidente Joseph F. Smith dijo lo siguiente de la influencia del tercer miembro de la Trinidad:

> "El don del Espíritu Santo, que da voz del Padre y dl Hijo, que toma de las cosas del Padre para enseñarlas al hombre, que da testimonio de Jesucristo y del eterno Dios el Padre, y que le testifica la verdad a todo hombre – Este espíritu, esta inteligencia es dada al hombre hasta después del arrepentimiento de todos los pecados y cuando se encuentra digno ante el Señor" (Improvement Era, Tomo 11, 380-2).

La influencia del Espíritu Santo, el tercer integrante de la Trinidad, se reserva para aquellos pocos quienes se preparan espiritualmente para recibirlo.

LA TRINIDAD ES UNA EN PROPÓSITO

Las escrituras nos revelan a tres personajes, Dios el Padre, Dios el Hijo, y Dios el Espíritu Santo. Estos personajes son tres seres independientes y separados. ¿Cómo es que son uno? Son uno en propósito, completa armonía y unidad. Son uno en el sentido de tener el mismo objetivo; llevar a cabo el plan de vida eterna para el hombre (Véase Juan 7:16-17; Juan 7:28-29; Juan 8:17-19; Juan 8:26-28; Juan 8:38; Juan 6:38; Juan 8:42; Juan 8:50-54). El plan del evangelio, es ratificado por los tres miembros de la Trinidad. En el plan que Dios, el Padre ofreció a Sus hijos espirituales en la pre-existencia, que era necesario que un Salvador bajara a la tierra para expiar los pecados de la humanidad (Abraham 3:24-28). Dios el Padre escogió a Su primer hijo espiritual, Jehová para que le ayudara a desarrollar el plan de salvación. Jehová vendría al mundo en el meridiano de los tiempos y tomaría un cuerpo de carne y hueso. Sería, el más perfecto de todos Sus hijos que nacieran en la tierra. El único Hijo engendrado del Padre, sería Jesucristo. El Espíritu Santo testificaría de Su divinidad.

La Trinidad es Una en el sentido de unidad. Ellos son, según Bruce R. McConkie:

> "unidos en uno, los atributos de perfección. Cada uno posee la verdad, el conocimiento, la caridad, el poder, la justicia, el juicio, la misericordia, y la fe, en su plenitud.
>
> Por consiguiente, piensan, actúan, hablan, y se semejan en todo; sin embargo, son tres seres distintos y separados.
>
> Cada uno ocupa su espacio y solo puede estar en un solo lugar, mas cada uno tiene poder e influencia donde esté presente" (Doctrina Mormona, Segunda Edición, p. 319).

En verdad es inspirador ver la unidad y armonía de la Trinidad. Yo puedo comprender a estos Seres Grandiosos, llenos de inigualable poder y gloria, sosteniéndose el uno al otro en la obra de salvación de la humanidad. Su mensaje es claro: dar honor y gloria a Dios, aceptar a Jesucristo como el Salvador y Mediador de la humanidad, y gozar de las revelaciones que vienen del Espíritu Santo al testificar de la veracidad del evangelio. Cuando una persona descubre la majestuosidad de Dios, el inigualable amor de Jesucristo, y el poder penetrante del Espíritu Santo, entonces comprenderá por qué el Señor habló y enseñó acerca de la vida eterna en conjunto con la importancia de conocer a Dios y a Jesucristo a quien Él ha enviado.

Referencias adicionales: Génesis 3:22; Éxodo 3:14; Romanos 14:11; Juan 17:20'22; Doctrina y Convenios 50: 41-43.

Capítulo 4

JESUCRISTO – NUESTRO SALVADOR

Idea Principal: Jesucristo es un ser único. Posee poder sobre la vida y la muerte.

No hay palabras que puedan expresar la reverencia que sentimos por Aquel cuyo nombre hemos tomado sobre nosotros mismos – aun Jesucristo. Este ser fue proclamado por el gran profeta Isaías como aquel que era conocido en los cielos como:

> "Admirable, Consejero, Dios fuerte, Padre eterno, Príncipe de paz"
> (Isaías 9:6).

El nombre de Jesús es tomado del Hebreo Yeshua, y significa "Jehová es salvación" o "liberación". El fue "el primogénito de toda creación" (Colosenses 1:15).

Dios el Padre determinó que todos sus hijos espirituales deberían tener la oportunidad de venir al mundo y experimentar la mortalidad. Su Hijo Primogénito en el mundo espiritual fue escogido para venir al mundo en el meridiano de los tiempos como el Salvador de todos aquellos quienes fueron obedientes en la vida premortal. El era:

> "un cordero sin mancha y sin contaminación, ya destinado desde antes de la fundación del mundo. . ." (1 Pedro 1:19-20).

La preordenación de Cristo para ser el Salvador de la humanidad tendría efecto sobre todo hombre y toda mujer que habría de nacer en este mundo. En la siguiente declaración el apóstol Pedro afirma el papel único que Cristo desempeña como Salvador:

> "Este Jesús es la piedra reprobada por vosotros los edificadores, la cual ha venido a ser la cabeza del ángulo.
>
> Y en ningún otro hay salvación; porque no hay otro nombre bajo el cielo, dado a los hombres, en que podamos ser salvos" (Hechos 4:11-12).

Deseo afirmar que no existe otro nombre bajo el cielo por el cual podemos ser salvos. ¿Salvos de qué? Salvos de nuestros pecados inevitables y de la muerte. Parte del plan de la vida es la muerte de nuestro cuerpo mortal. ¿Quién podría levantar al muerto de su tumba? ¿Quién podría invitar al pecador de nuevo a la presencia de Dios de quien vinimos? Jesucristo es la figura central en nuestra salvación.

Los primeros 4,000 años que el hombre moró sobre la tierra fueron dirigidos por este gran espíritu, Hijo Primogénito de Dios, llamado Jehová.

JESUCRISTO ES UN SER ÚNICO

Probablemente una de las verdades más profundas y emocionantes del universo es la singularidad del ser de Jesucristo. Este ser grandioso, un Dios y un Creador, quien poseía todo poder, autoridad, conocimiento y verdad, tuvo que pasar por esta experiencia de la mortalidad.

La singularidad de Jesucristo viene a través de su Padre. Las escrituras están llenas de declaraciones que refieren a Cristo como el Unigénito y como el Hijo de Dios. Las siguientes referencias de las escrituras claramente ilustran la identidad de Jesucristo como el Unigénito de Dios el Padre:

> "Y yo, Dios dije a mi Unigénito, el cual fue conmigo desde el principio: Hagamos al hombre a nuestra imagen, conforme a nuestra semejanza; y fue hecho. Y yo, Dios, dije: Tengan dominio en los peces del mar, en las aves del cielo, en el ganado, en toda la tierra y en todo lo que se arrastra sobre la tierra.
>
> Y yo, Dios, creé al hombre a mi propia imagen, a imagen de mi Unigénito lo creé" (Moisés 2:26-27).
>
> Así dice el Señor, pues yo soy Dios, y he mandado a mi Unigénito Hijo al mundo para la redención del mundo, y he

> decretado que el que lo reciba será salvo y el que no lo reciba será condenado" (Doctrina y Convenios 49:5).
>
> Porque de tal manera amó Dios al mundo, que ha dado a su Hijo Unigénito, para que todo aquel que en él cree, no se pierda, mas tenga vida eterna (Juan 3:16).

Les testifico que Jesús es literalmente el Unigénito de Dios el Padre. Unigénito significa procreado literalmente por un padre. Padre significa uno que concibe un hijo. Jesucristo fue concebido por Dios el Padre a través de una mujer mortal, María.

El poder del Espíritu Santo tuvo que venir sobre María para prepararla para poder soportar la presencia de Dios el Padre.

Por lo tanto, podemos comprender la singularidad de la persona grandiosa, aun Jesucristo. Aunque siendo un Dios premortal, vino a la tierra a través de un proceso de nacimiento normal y natural. De su Padre, inmortal y teniendo un cuerpo resucitado de carne y hueso, heredó los poderes de la inmortalidad y la habilidad de vencer la esclavitud de la tumba. De su madre heredó los poderes de la mortalidad a los cuales estaría sujeto su cuerpo.

Fue este Jesús quien crecía de gracia en gracia y quien enseñó en el templo.

> "Y aconteció que tres días después le hallaron en el templo, sentado en medio de los doctores de la ley, oyéndoles y preguntándoles.
>
> Y todos los que le oían, se maravillaban de su inteligencia y de sus respuestas" (Lucas 2:46-47).

Fue este Jesús quien se preparó por treinta años para cumplir con su misión como Salvador del mundo. Entonces fue bautizado por Juan el Bautista en el río Jordán para cumplir toda justicia.

> "Y Jesús, después que fue bautizado, subió luego del agua; y he aquí los cielos fueron abiertos, y vio al Espíritu de Dios que descendía como paloma y venía sobre él" (Mateo 3:16).

Retirándose al desierto por cuarenta días, Jesús refinó el convenio con su Padre. Después de esta experiencia salió para empezar su ministerio público. Su trabajo y sus logros están grabados en los cuatro evangelios del Nuevo Testamento.

SOLAMENTE CRISTO PODRÍA PAGAR EL PRECIO DE LA EXPIACIÓN

La expiación de Cristo de nuevo pone en evidencia la singularidad del Unigénito. Indudablemente sólo Jesucristo podría llevar a cabo aquello que pasó en el jardín de Getsemaní. El plan de la vida, el plan de salvación, y la esperanza de todo hombre de poder librarse de la tumba; todo esto constituye la expiación. Es en la soledad del Salvador cuando se encontraba en el jardín que se estableció como amigo de la humanidad. Al caer de rodillas por el peso terrible sobre sus hombros con los pecados del mundo, fue su naturaleza inmortal la que le permitió soportar más allá de lo que un hombre podría soportar. El dolor, el sufrimiento, y el horror del pecado que pasaban sobre este Ser que jamás había conocido el pecado fueron causa suficiente para hacerle sudar gotas de sangre

> "Y estando en agonía, oraba más intensamente; y era su sudor como grandes gotas de sangre que caían hasta la tierra" (Lucas 22:44).

Había heredado de Su Padre la capacidad suprema de soportar el yugo terrible que eran los pecados de la humanidad.

Ningún sufrimiento, ningún dolor, ninguna presión de los pecados innumerables de toda la raza humana pueden ser suficientes para destruir a un Dios. Sin embargo, todo esto sí fue suficiente para pagar el precio de la expiación. Jesús pagó ese precio, El . . .

> ". . . descendió debajo de todo, por lo que comprendió todas las cosas", como solamente un ser con sus cualidades inmortales podría hacerlo (Doctrina y Convenios 88:6). Su naturaleza singular le permitió sufrir de un dolor y pesar tan infinitamente exquisito que está fuera de nuestra comprensión. Jesús completó su gran asignación; El Padre aceptó el sacrificio del Salvador. Fue suficiente para expiar los pecados de la humanidad si solo se arrepienten de sus pecados y toman sobre sí el nombre de Jesucristo.

Después de lo sucedido en el jardín de Getsemaní un acto final faltaba ser cumplido por el Unigénito. La captura, la burla, los azotes, y la crucifixión traerían para nuestro Señor y Salvador el fin de los sufrimientos y tormentos de su cuerpo mortal. Muchos de los que han nacido han padecido burlas, azotes y hasta crucifixión. Ningún hombre sobre esta tierra que poseyera los poderes de la inmortalidad habría sido colgado en la angustiosa cruz de la crucifixión. A Cristo se le fue llamado a sufrir una ejecución por la cual no podían tomar su vida. Ningún hombre u hombres pueden tomar la vida de un ser dotado con poderes de inmortalidad.

Jesús dio su vida. Tiene poder sobre la vida y la muerte. Voluntariamente dio su vida como rescate para la humanidad. Su espíritu se apartó de su cuerpo destrozado que había soportado todas las cosas. La lanza de aquel soldado penetró un cuerpo ya sin vida. Su espíritu había partido y estaba ya en otra esfera, en el paraíso. Allí Jesús abría las puertas gloriosas de su evangelio a los espíritus de todos los hombres que habían muerto y que habrían de morir.

EL HOMBRE PUEDE VENCER LA MUERTE A TRAVÉS DE CRISTO

¿Quién podría capturar las llaves de la muerte? ¿Quién podría rescatar al hombre de la tumba? Solamente Jesucristo, el Hijo de Dios. En el tercer día su espíritu inmortal volvió a ocupar su cuerpo. El sello de la piedra del sepulcro fue reventado. ¡Jesús resucitó! El primer ser al cual este mundo diera los poderes de la resurrección se levantó de los muertos. Quebró las cadenas de la muerte. Por Él, como dádiva a la humanidad, todo ser podría quebrar las cadenas de la muerte. De nuevo el Unigénito cumplió con un deber que ningún otro hombre podría realizar. Nadie más que el Hijo de Dios, poseedor de poderes inmortales podría subyugar la muerte bajo sus pies. Recordemos las gozosas palabras de Pablo al citar a los antiguos profetas:

> ". . . Sórdida es la muerte en victoria. ¿Dónde está, oh muerte, tu aguijón?
>
> ¿Dónde, oh sepulcro, tu victoria?[(1 Corintios 15:54-55).

Jesucristo fue el vencedor. Reina supremamente como el Salvador. Libera a todo hombre de la destrucción en la tumba. Hace posible que el hombre llegue a ser como El es – resucitado, inmortal y glorificado. Este mensaje es de gran importancia. Si tienen otro concepto de Jesucristo, y no lo ven como poseedor de los poderes singulares descritos en este capítulo, entonces aún no lo conocen. Puedes percibir por qué las escrituras declaran:

"Y esta es la vida eterna: que te conozcan a ti, el único Dios verdadero, y a Jesucristo, a quien has enviado" (Juan 17:3).

A aquellos que declaran que Jesús fue solamente un maestro, un gran filósofo, o un gran líder, intrépidamente les afirmo que Él es infinitamente más que eso. A aquellos que declaran que podría venir otro hombre que igualara las habilidades y obras de Jesucristo, les afirmo que están en error. No hay más que un Hijo Unigénito – un Hijo de Dios que reclama victoria sobre el sepulcro – un Redentor que invita a todo hombre a ser como Él. La misión de Jesucristo va infinitamente más allá de la de ser un gran maestro, un gran filósofo, o un gran líder. Su misión alcanza la jurisdicción eterna de la vida y existencia. Él es la luz y la vida de toda creación. Es en Él que enfocamos nuestra esperanza. Si no lo hacemos así, somos como dijo Pablo, " . . . los más dignos de conmiseración de todos los hombres" (1 Corintios 15:19). Si el mundo Cristiano llegara a conocer al único y verdadero Cristo viviente, jamás volvería a estar conforme con lo breve y superficial de las doctrinas de los hombres concernientes a este ser maravilloso. Los invito a que permitan tener la experiencia de la realidad del Cristo resucitado y viviente. El los invita a venir a Él, a seguirlo, a conocerlo aún como yo lo conozco.

CRISTO ES EL PUNTO CENTRAL DE LA RESTAURACIÓN DEL EVANGELIO

Cuando era joven, anduve por vías diferentes de las que se enseñan en La Iglesia de Jesucristo de los Santos de los Últimos Días. Viví de acuerdo con una mezcla de las doctrinas y los mandamientos de los hombres, que tenían una forma de piedad, pero carecían de las verdades de Dios y del poder que estas tienen. La religión era una parte vital de mi vida cuando era joven; estaba profundamente impresa en el núcleo mismo de nuestra vida familiar. Sin embargo, faltaba algo, algo que era fundamental en cuanto al propósito de la vida y que parecía obscuro e incierto. En los años de mi juventud, tuve la suerte de conocer a algunos buenos Santos de los Últimos Días que me abrieron nuevas puertas del evangelio.

Las doctrinas de la restauración del Evangelio de Jesucristo se han convertido en mi sendero hacia la vida eterna y me han dado la plenitud de gozo aquí en la tierra. Pocas son las cosas que he llegado a estimar más que el conocimiento de la realidad de la Trinidad. Somos literalmente la progenie espiritual de Dios el Padre. La vida y la misión de Su Hijo Unigénito, Jesucristo, afectan mi vida diariamente. La influencia diaria del Espíritu Santo es un gran consuelo para mí.

Me uní a esta iglesia porque Dios se ha revelado a los profetas de los últimos días y ellos han testificado de la realidad de Su existencia. Al preguntarle a Dios si las doctrinas de este evangelio son verdaderas, he recibido un testimonio más poderoso que el que puedan dar los ojos, de más consuelo para mi alma que las palabras. He recibido el dulce testimonio, mediante el poder del Espíritu Santo, de que las verdades del evangelio restaurado están en la tierra. He tenido la gran bendición de haberme convertido a esta Iglesia y saber, sin ninguna duda, de la divinidad de Jesucristo como Hijo de Dios. Este Ser resucitado y perfecto está a la cabeza de esta Iglesia; es sobre El que debemos edificar; Él es la piedra angular de nuestro fundamento; Él es la Roca de nuestra salvación, la roca sobre la cual no sólo se edificara la Iglesia, sino también nuestro testimonio personal. Ningún hombre, si, ni ningún otro nombre bajo los cielos nos servirá de fundamento. El profeta Helamán habló con gran elocuencia sobre este cimiento sagrado cuando dijo:

> "Y ahora recordad, hijos míos, recordad que es sobre la roca de nuestro Redentor, el cual es Cristo, el Hijo de Dios, que debéis establecer vuestro fundamento, para que cuando el diablo lance sus impetuosos vientos, sí, sus dardos en el torbellino, sí, cuando todo su granizo y furiosa tormenta os azoten, esto no tenga poder para arrastraros al abismo de miseria y angustia sin fin, a causa de la roca sobre la cual estáis edificados, que es un fundamento seguro, un fundamento sobre el cual, si los hombres edifican, no caerán" (Helamán 5:12).

No sólo debemos edificar sobre el fundamento seguro de Jesucristo, sino el profeta Jacob lo describió a Él como el cimiento donde estaremos a salvo, diciendo que esta piedra será el grande, el último y el único y seguro fundamento (Jacob 4:16). Con toda la convicción de mi ser testifico que el testimonio de Jacob es verdadero. Cuando el apóstol Pedro declaró intrépidamente en cuanto a Jesús: "Tu eres el Cristo, el Hijo del Dios viviente", Jesús le respondió: "Bienaventurado eres, Simón, hijo de Jonás, porque no te lo reveló carne ni sangre, sino mi Padre que está en los cielos" (Mateo 16:11-16). A nosotros también se nos revelará Cristo mediante el mismo proceso que Dios utilizó con Pedro. Cristo es siempre la roca sobre la cual cada uno de nosotros debe edificar, si, la roca de salvación.

Favor de estudiar cuidadosamente el documento adjunto de "El Cristo Viviente" que es un testimonio de los últimos días de la verdadera doctrina de Cristo (Apéndice II).

> "Por tanto", dice el profeta Nefi, "debéis seguir adelante con firmeza en Cristo,
>
> Teniendo un fulgor perfecto de esperanza y amor por Dios y por todos los hombres. Por tanto, si marcháis adelante, deleitándoos en la palabra de Cristo, y Perseveráis hasta el fin, he aquí, así dice el Padre: Tendréis la vida eterna.
>
> "Y ahora, amados hermanos míos, esta es la senda; y no hay otro camino, ni nombre dado debajo del cielo por el cual el hombre puede salvarse en el reino de Dios . . ." (2 Nefi 31:20-21).

Una porción de nuestro entendimiento terrenal consiste en vivir mediante la fe, arrepentirnos de nuestros pecados y acudir diariamente al Señor en oración. Agradecemos los momentos en que mediante las tiernas exhortaciones del Espíritu Santo se nos amonesta a seguir por el sendero correcto; pero cada uno de nosotros tiene que pasar por muchos momentos difíciles aquí en la tierra. Desde los estrados de la opinión pública oímos infinidad de voces que desean persuadirnos. Nuestro camino nunca será el camino popular del mundo. Por el sendero hay obstáculos que nos harán tropezar y quizá nos hieran, pero debemos seguir adelante. Debemos avanzar con la fortaleza del Señor, siendo cada uno responsable de llegar a la meta al final de nuestra jornada terrenal. Así como Pablo, debemos estar en condiciones de declarar:

> "He peleado la buena batalla, he acabado la carrera, he guardado la fe.
>
> "Por lo demás, me está guardada la corona de justicia, la cual me dará el Señor, juez justo, en aquel día; y no sólo a mí, sino también a todos los que aman su venida" (2 Timoteo 4:7-8).

Estoy infinitamente agradecido por mi compañera eterna, así como por la segunda generación de Santos de los Últimos Días de nuestra familia que han tomado sobre si la causa de Cristo. Que Dios nos ayude a todos a participar de la plenitud de la restauración de este sagrado evangelio, lo ruego humildemente.

Referencias adicionales: Moisés 1:6, 33; 4:1-2; Jacob 4:5; Alma 12:33-34; Doctrina y Convenios 2:21; Doctrina y Convenios 29:42; 1 Nefi 11:13-21; Alma 7:10; Doctrina y Convenios 93:11-14; Doctrina y Convenios 19:1-19; Juan 4: 16-18.

Capítulo 5

SATANÁS – EL AUTOR DE LA MENTIRA

Idea Principal: Satanás es un personaje real. Sostiene una poderosa y encarnizada lucha en contra de Jesucristo y sus seguidores.

Satanás está increíblemente dedicado a destruir las almas de los hombres. Por miles de años él y sus seguidores se han movido con gran violencia de aquí para allá sobre la tierra con el solo propósito de destruir la capacidad del hombre de llegar a ser como nuestro Padre Celestial. Examinemos la naturaleza de este ser desde el principio.

Satanás es conocido por muchos títulos ignominiosos: Adversario, (1 Pedro 5:8), Ángel del Pozo del Abismo (Apocalipsis 9:1), Destructor (Doctrina y Convenios 61:19), Diablo (Mateo 4:1), Dragón (Apocalipsis 12:6), Lucifer (Doctrina y Convenios 76:26), Mahán el Maestro (Moisés 5:31), Perdición (Juan 17:12), Satanás (Doctrina y Convenios 52:14), y El Tentador (Mateo 4:3). Sus seguidores son llamados Hijos de Perdición (Doctrina y Convenios 76:32-46).

En la existencia premortal, Satanás estuvo entre los hijos espirituales de Dios, como uno que poseía autoridad. Tenía el título glorioso de "un hijo de la mañana" hasta que se rebeló en contra de Dios. Las escrituras nos proporcionan una breve visión de su majestuosidad antes de su caída y alejamiento de la presencia de nuestro Padre Celestial:

> "Y esto también vimos, de lo cual damos testimonio, que un ángel de Dios, que tenía autoridad delante de Dios, el cual se rebeló en contra del Hijo Unigénito, a quien el Padre amaba y el cual estaba en el seno del Padre, fue arrojado de la Presencia de Dios y del Hijo.,
>
> Y fue llamado Perdición, porque los cielos lloraron por él; y era Lucifer, un hijo de la mañana.
>
> Y vimos; y he aquí ¡ha caído, un hijo de la mañana ha caído!
>
> Y mientras nos hallábamos aún en el Espíritu, el Señor nos mandó que escribiéramos la visión; porque vimos a Satanás, la serpiente antigua, sí, el diablo, que se rebeló contra Dios y procuró usurpar el reino de Dios y su Cristo;
>
> Por tanto, les hace la guerra a los santos de Dios y los rodea por todos lados" (Doctrina y Convenios 76:25-29).

¿Cuál condición prevaleció en la vida premortal que causaría que Satanás se rebelara contra Dios?

Dios procuró que uno de sus hijos de la mañana fuera el creador del mundo y Salvador de la humanidad. Dos de sus hijos más espléndidos y capaces dieron un paso al frente; uno fue Jehová (Jesucristo) y el otro fue Lucifer (Satanás).

> "Y el Señor dijo: ¿A quién enviaré? Y respondió uno semejante al Hijo del Hombre: Heme aquí; envíame. Y otro contestó dijo: Heme aquí; envíame a mí. Y el Señor dijo: Enviaré al primero.
>
> Y el segundo se enojó, y no guardó su primera estado, y muchos lo siguieron ese día " (La Perla de Gran Precio, Abraham 3:27-28).

SATANÁS PROCURA DESTRUIR NUESTRO ALBEDRÍO

Los elementos de la fuerza y de la compulsión del albedrío han sido parte de la vida desde el Gran Concilio en el cielo (Perla de Gran Precio, Moisés 4:1-4); Doctrina y Convenios 29:36-40). Cuando el plan de Cristo fue aceptado y el de Satanás rechazado, Satanás no abandonó el asunto. Fue entre las huestes celestiales y buscó entre los hijos espirituales de Dios a aquellos que se unirían a él en oposición al plan divino de la vida. Deseaba sujetar al hombre a su voluntad diabólica y ofreció a sus seguidores poder y gloria temporal si aceptaban sus métodos.

Satanás tuvo mucha influencia y persuadió a la tercera parte de las huestes celestiales a que se unieran a él en rechazar a Jesucristo. Entonces fue arrojado del cielo, junto con aquellos espíritus que escogieron seguirlo. El dominio de éstos es la tierra, y han tratado continuamente de engañar los corazones de los hombres.

La realidad de la existencia de estos seres se nos muestra en la siguiente declaración de Jesucristo:

> "Y es menester que el diablo tiente a los hijos de los hombres, o éstos no podrían ser sus propios agentes; porque si nunca tuviesen lo amargo, no podrían conocer lo dulce" (Doctrina y Convenios 29:39).

Satanás y sus seguidores saben que el tiempo que les queda sobre la tierra es corto. También saben que el lugar preparado para ellos, el infierno, será en poco tiempo su residencia eterna. Por lo tanto, Satanás está insaciablemente dedicado a la captura y destrucción de cada uno de los hijos de Dios. Por cada alma que engaña, recibe la satisfacción de haber frustrado el plan de Dios una y otra vez. El conoce el plan de Dios, la misión Cristo, y la gloria y el poder que les esperan a los fieles que serán redimidos a través de la sangre del Salvador. El Salvador es el mayor enemigo de Satanás. Este por lo tanto, idea todo tipo de planes y programas fraudulentos que impiden el progreso del hombre hacia un estado como el de Cristo. Su éxito en nutrir el mal ha resultado en la destrucción del hombre en varias ocasiones. ¿Acaso no recordamos el gran diluvio y a aquellos poco que escaparon? (Génesis 7: 12-24). ¿Aceptamos la realidad de la destrucción de la nación Jaredita como está grabada en el Libro de Mormón (Éter 15)? ¿Acaso los Nefitas no llegaron a su destrucción por su maldad en la gran tierra de América 400 A.C.? (Libro de Mormón, Moroni 9). ¿Quién puede dudar que Satanás va y viene en furia sobre la tierra?

SATANÁS ES UN EMBUSTERO

Seamos claros al hablar de las huestes Satánicas y su intento de frustrar el plan de Dios. Uno de los nombres de Satanás, "Padre de las mentiras", es una descripción exacta de sus propósitos. El es el autor de las mentiras, funcionando y triunfando dentro de este reino. Cuando el sol está brillando, él alega que no lo está. ¡Él sabe que Jesús es el Cristo, sin embargo, enseña que no existe ningún Cristo! Conoce las profecías de Dios, mas afirma que son el "efecto de una mente desvariada" (Libro de Mormón, Alma 30:16). Alega que no existe una expiación por los pecados del hombre, sabiendo que la expiación por los pecados del hombre es el mismo plan que él rechazó en el Concilio del cielo. Niega a Dios siendo él mismo un hijo de Dios. Persuade al hombre a creer que lo malo es bueno y lo bueno es malo. Su poder reposa en el reino del engaño y la mentira.

Satanás es un gran impostor. Trata de falsificar casi todo elemento del evangelio de Jesucristo. Tenemos a Cristo; él es el anti-Cristo. Tenemos profetas verdaderos; él levanta profetas falsos. Tenemos revelación por el espíritu del Espíritu Santo; él afirma tenerlo por el espíritu del diablo. Nosotros tenemos la Iglesia de Jesucristo. Tenemos el bautismo autorizado; y tenemos los dones del espíritu. Tenemos libros de revelación. El maligno inspira a los hombres a desacreditar y a menospreciar las revelaciones de Dios. Tenemos el sacerdocio de Dios; el inspira las supercherías de los hombres. Él hasta enseña a los hombres que no existe el diablo; y se ríe cuando sus doctrinas son enseñadas.

SOBREPONGÁMONOS A LA INFLUENCIA DE SATANÁS

¿Cómo combatiremos estos poderes fraudulentos que utiliza Satanás? Debemos familiarizarnos con las cosas de Dios y atender a Su inspiración. Se le es dado a todo hombre la capacidad de distinguir entre el bien y el mal. El profeta Mormón clarifica esta enseñanza de la siguiente manera:

> "Por consiguiente, todo lo que es bueno viene de Dios, y lo que es malo viene del diablo; porque el diablo es enemigo de Dios, y lucha contra Él continuamente, e invita e induce a pecar y a hacer lo que es malo sin cesar.
>
> Mas he aquí, lo que es de Dios invita e induce a hacer lo bueno continuamente; de manera que todo aquello que invita e induce a hacer lo bueno, a amar a Dios y a servirle, es inspirado por Dios.
>
> Tened cuidado, pues, amados hermanos míos, de que no juzguéis que lo que es malo sea de Dios, ni lo que es bueno y de Dios sea del diablo.

> Pues he aquí, mis hermanos, os es concedido juzgar, a fin de que podáis discernir el bien del mal; y la manera de juzgar es tan clara, a fin de que sepáis con un perfecto conocimiento, como la luz del día lo es de la obscuridad de la noche.
>
> Pues he aquí, a todo hombre se da el Espíritu de Cristo para que sepa discernir el bien del mal; por tanto, os muestro la manera de juzgar; porque toda cosa que invita a hacer lo bueno, y persuade a creer en Cristo, es enviada por el poder y el don de Cristo, por lo que sabréis, con un conocimiento perfecto, que es de Dios.
>
> Pero cualquier cosa que persuade a los hombres a hacer lo malo, y a no creer en Cristo, y a negarlo, y no servir a Dios, entonces sabréis, con un conocimiento perfecto, que es del diablo; porque de este modo obra el diablo, porque él no persuade a ningún hombre a hacer lo bueno, no, ni a uno solo; ni lo hacen sus ángeles, ni los que a él se sujetan (Libro de Mormón, Moroni 7:12-17).

La llave del pasaje anterior tiene dos lados: ¿Atenderá el hombre a las advertencias del espíritu de Cristo, o rechazará estas advertencias y negará servir a Dios?

Podemos pensar que le estamos sirviendo a Dios cuando en realidad estamos enredados en las enseñanzas fraudulentas de Satanás. Muchos creerán creer en Cristo, cuando en realidad ni conocen ni siguen al Cristo verdadero y viviente. Muchos le niegan rechazando a sus profetas vivientes y a las escrituras adicionales que han sido reveladas. Además, el hombre puede negar a Cristo rechazando la única y verdadera iglesia viviente de Jesucristo sobre esta tierra.

Un apóstol de los últimos días enseñó lo siguiente:

> "En el mundo premortal, Lucifer se rebeló contra Dios y Su plan, y su oposición sigue creciendo en intensidad. Él pelea para desanimar el matrimonio y la formación de familias, y en donde hay familias y matrimonios formados, él hace lo que puede para perturbarlos. Ataca todo lo que es sagrado acerca de la sexualidad humana, arrancándolo del contexto del matrimonio con un despliegue de pensamientos y actos inmorales.

> Busca convencer a los hombres y mujeres que las prioridades del matrimonio y familias pueden ser ignoradas o abandonadas, o por lo menos hacer que busquen carreras u otros logros, y la búsqueda de auto-satisfacción y autonomía individual. Ciertamente el adversario está complacido cuando los padres desatienden su responsabilidad de enseñar y capacitar a sus hijos a tener fe en Cristo y de nacer espiritualmente nuevamente. Hermanos y hermanas, hay muchas cosas buenas, muchas son importantes, pero solo unas pocas son esenciales" (Christofferson, D. Todd, Conferencia General, *Ensign*, Mayo 2005).

Es mi testimonio personal a ustedes de que Satanás es real. Es terriblemente miserable y busca que nosotros también lo seamos. Imaginemos los esquemas que nos ofrece sabiendo que el resultado final terminará en tormenta y miseria. Su llanto, y sus gemidos, y su crujido de dientes, están para siempre grabados en las mentes de aquellos que han desechado sus poderes. Su crueldad e ira no tienen descripción. Las cadenas que lo atan son evidencia real de la esclavitud en la que trata de cercar a los hijos de Dios.

Referencia adicionales: Moisés 4:1-4; 2 Nefi 28: 3-31; Alma 30:53.

Capítulo 6

CÓMO NOS AFECTA LA APOSTASÍA

Idea Principal: Los profetas bíblicos profetizaron que el evangelio de Jesucristo sería quitado de la tierra poco después de la muerte de Cristo y sus apóstoles.

¿Qué es la apostasía? La apostasía consiste en el abandonamiento de los principios verdaderos del evangelio de Jesucristo. Ha prevalecido entre la gente de la tierra en varias ocasiones. Los eventos concernientes al profeta Noé y el diluvio universal están grabados como testigos de una apostasía de los principios verdaderos. Solamente la familia inmediata de Noé fue protegida de este desastre. Ellos escaparon de acuerdo a su fidelidad en seguir al Señor.

Los hijos de Israel, guiados por Moisés al salir de Egipto, cayeron en un estado de apostasía. Fue después de vagar en el desierto por cuarenta años y el nacimiento de una generación completamente nueva, que se les permitió entrar a la tierra prometida.

La apostasía era creciente y estaba difundida entre los hijos de Israel durante el ministerio de Jesucristo en su propia tierra. Muchos Judíos estaban tan consumidos en sus tradiciones y creencias falsas que no reconocieron al Salvador entre ellos. Cristo y sus apóstoles trabajaron con todas sus fuerzas para preparar a la gente para el fortalecimiento de un movimiento Cristiano. A pesar de esto, otra apostasía universal era inminente.

LA APOSTASÍA SIGUIÓ A LA MUERTE DE CRISTO Y SUS APÓSTOLES

La Iglesia de Jesucristo de la antigüedad se extendía alrededor del mar Mediterráneo en la era apostólica de Pedro, Pablo, y Juan. Los miembros de la iglesia eran rara vez visitados por los líderes de la misma. ¿Qué sucedía dentro de la iglesia durante estas largas ausencias de los apóstoles y profetas? El apóstol Pablo al hablar con los élderes de Efeso, dijo:

> "Porque yo sé que después de mi partida entrarán en medio de vosotros lobos rapaces, que no perdonarán al rebaño.
>
> Y de vosotros mismos se levantarán hombres que hablen cosas perversas para arrastrar tras sí a los discípulos (Hechos 20:29-30).

Los e zfectos de la apostasía no siempre son aparentes al ojo que no discierne. Estos "lobo rapaces" de quienes habla Pablo frecuentemente son miembros de la Iglesia que empiezan a retirarse del orden verdadero de la organización y procedimientos de la Iglesia. Los cambios subsecuentes a este retiramiento se manifiestan a través de posiciones de liderismo no autorizados, la manera en la cual los hombres son llamados a ocupar puestos de autoridad, la contaminación de las ordenanzas, rituales y procedimientos creados por hombres que no están obrando de acuerdo con la verdadera manera de reverenciar a Dios.

En su gran sermón concerniente a los eventos que seguirían a la destrucción de Jerusalén, Jesucristo habló de la aniquilación terrible por la cual el Cristianismo verdadero padecería durante la edad temprana de la Iglesia. Hablando a sus discípulos, Jesús dijo:

> "Entonces os entregarán a tribulación, y os matarán, y seréis aborrecidos de todas las gentes por causa de mi nombre.
>
> Muchos tropezarán entonces, y se entregarán unos a otros, y unos a otros se aborrecerán.
>
> Y muchos falsos profetas se levantarán, engañarán a muchos; y por haberse multiplicado la maldad, el amor de muchos se enfriará" (Mateo 24:9-12).

Jesucristo, sus apóstoles y profetas, fueron matados o desterrados en la historia temprana del Cristianismo.

EL EVANGELIO VERDADERO SE PIERDE DURANTE LOS TIEMPOS DE LA APOSTASÍA

Con la muerta de los primeros apóstoles, profetas y líderes Cristianos autorizados, la Iglesia de Jesucristo subsiguientemente cayó en las manos de los hombres. Estos hombres despojados de la verdadera autoridad apostólica necesaria para administrar los asuntos de la Iglesia de Jesucristo, solamente consiguieron perpetuar la iglesia de los hombres.

La Iglesia de Jesucristo fue quitada de la tierra. Aunque las iglesias de los hombres se levantaron entre el mundo civilizado, no hubo ninguna, de modo interesante, que recibiera la aprobación de Jesucristo. Por dieciocho siglos el mundo pasó por el período de la gran Apostasía, tal como fue predicha por los profetas de Dios ya mencionados. Muchos hombres buenos y rectos intentaron perpetuar la tradición Cristiana tal como la habían establecido Cristo y sus apóstoles. Sin embargo, esto se hizo sin la autoridad para obrar en el nombre de Jesucristo. Por lo tanto, su iglesia, ordenanzas, y obras no podían recibir las bendiciones completas del Señor. Estas iglesias "tendrían apariencia de piedad, mas negarían la eficacia de ella", y por lo tanto no serían reconocidas como válidas por Cristo.

Todos los profetas fueron muertos a sólo unas pocas décadas después de la crucifixión del Señor Jesucristo. ¿Cómo podría el Salvador revelar el plan de Su evangelio sin que hubiera profetas sobre la tierra? Podría haber levantado nuevos profetas para revelarles Su voluntad; pero no era el tiempo señalado. Esto no se haría sino hasta los últimos días. Veamos el registro. Ninguna de las iglesias de los hombres durante el tiempo de la Gran Apostasía (18 siglos) tendría apóstoles o profetas verdaderos. Aquellas cosas del verdadero evangelio de Jesucristo no serían de nuevo reveladas hasta que llegara el tiempo señalado por Dios en los últimos días.

MUCHOS TESTIFICARON DE LOS EFECTOS DE LA APOSTASÍA

El hecho de que el Cristianismo en su forma verdadera se había perdido del mundo es confirmado por muchos de los grandes reformadores Cristianos. Veamos las siguientes citas de hombres que lucharon con la realidad de la apostasía y añoraron la restauración del evangelio verdadero. Primeramente, Martín Lutero:

> "No he procurado otra cosa más que reformar la Iglesia de acuerdo con las Santas Escrituras. El pecado no sólo ha corrompido los poderes espirituales, sino que ahora sólo contiene una razón depravada y una voluntad que es el enemigo y adversario de Dios. Sencillamente digo que el Cristianismo ha dejado de existir entre aquellos que debían haberlo preservado" (Martín Lutero, pág. 188).

Roger William, un pastor de la Iglesia Bautista más antigua de América, en Providence, Rhode Island, declaró:

> "No hay en la tierra ninguna iglesia debidamente constituida, ni persona alguna autorizada para administrar ninguna de las ordenanzas de la Iglesia; ni las puede haber hasta que sean enviados nuevos apóstoles por el Gran Director de la Iglesia, cuya venida yo busco" (Picturesque America, pág. 502).

El Dr. Harry Emerson Fosdick vio claramente la necesidad de una reforma:

> "Se ha iniciado una reforma religiosa, la cual es en esencia un esfuerzo por recobrar para nuestra vida moderna la religión de Jesús, más bien que la vasta, confusa, generalmente inadecuada y con frecuencia positivamente falsa religión acerca de Jesús. El Cristianismo de la actualidad ha abandonado casi por completo la religión que Él predicó, enseñó, y vivió, y la ha sustituido por completo con otra clase de religión. Si Jesús volviese a la tierra ahora, y oyese las mitologías que han fabricado en torno de Él y viese la multitud de credos, denominaciones y sacramentos que se llevan a cabo en Su nombre, ciertamente diría: Si esto es Cristianismo, yo no soy Cristiano" (Liahona tomo 23, Número 22, pág. 424).

La universalidad de la apostasía que comenzó con la muerte de Jesucristo y los apóstoles y profetas que Él designó aún continúa hoy en día. Aquellos que no han participado en la restauración del evangelio de Jesucristo y que no se cuentan entre los miembros de la Iglesia de Jesucristo aún se hallan bajo el cautiverio de la apostasía.

HOY DÍA CENTENARES DE IGLESIAS ATESTIGUAN DE LA APOSTASÍA

Durante los siglos desde la venida inicial de Jesucristo en la carne a la tierra, el hombre ha procurado diseñar planes de salvación bajo la insignia del Cristianismo. La existencia de literalmente centenares de iglesia Cristianas que tenemos hoy atestiguan al hecho de que el así llamado Cristianismo se está quebrantando a sí mismo en fragmentos de desunión. "Si no son uno, no son míos", fue el consejo que dio Jesús a la Iglesia. ¡Yo no buscaría entre esos fragmentos a la iglesia verdadera. Buscaría a la Iglesia de Jesucristo la cual fuera restaurada al mundo por Jesucristo mismo.

Existen buenos hombres y mujeres sobre toda la superficie de la tierra quienes hacen todo lo que saben hacer para servir a Cristo. No podemos despreciar los esfuerzos de hombres y mujeres honestos que lo buscan. Sin embargo, hay mucho más, mucho más que debemos tomar en consideración. Invitamos a toda la gente del mundo a examinar toda la evidencia y a ser francos y receptivos a todas las verdades que han salido a la luz en estos últimos días a causa de la restauración del evangelio de Jesucristo en su plenitud. Este libro entero está dedicado a la apertura de nuevos horizontes y al entendimiento que acompañan el proceso de la restauración.

Yo sé de la realidad de la apostasía. Conozco el precio que exigió la mentalidad de los hombres por siglos. Veo los efectos que han tenido hoy en día sobre buenos hombres y mujeres en todas partes del mundo. Pero ha sido vencida por el poder de la revelación. La apostasía no cautiva a quienes se deshace de las cadenas a través del evangelio verdadero de Jesucristo.

Referencias adicionales: Gálatas 1:6-9; 2 Pedro 2: 1-2; 2 Timoteo 4:3-4; Apocalipsis 3:15-16; Apocalipsis 13:6-7; Amós 3:7; Amós 8:11-12; 2 Tesalonicenses 1:2-3; Isaías 29:13-14.

Capítulo 7

USTED Y LA RESTAURACIÓN DEL EVANGELIO

Idea Principal: El Señor restauró Su evangelio a través del profeta José Smith a principios del siglo 19.

El mundo yacía en un sueño profundo de apostasía durante la edad media. Eventos comenzaron a tomar forma para la restauración en los últimos días dl evangelio de Jesucristo. Reformadores se levantaron en los 1500's para desafiar el dominio de la Iglesia Occidental (Roma) y la Iglesia Oriental (Constantinopla). Los peregrinos en busca de libertad religiosa huyeron a una tierra más allá del mar Atlántico. Nació una nueva nación al oriente de la tierra

cerca del mar, llamada América. Un documento inspirado, llamado la Constitución, fue adoptado por las colonias quienes habían pagado el precio de su nueva libertad con su propia sangre. La libertad religiosa fue una nueva oportunidad. Iglesias y sectas surgieron por toda la tierra de América.

¿Dónde se encontraba la Iglesia de Jesucristo? ¿Dónde se encontraban los apóstoles y profetas que poseían la autoridad para administrar los asuntos de Dios? Las iglesias de estos días llevaban nombres no conocidos al lector de la Biblia. Existían la Católica, la Iglesia de Inglaterra, la Luterana, la Metodista, la Presbiteriana, la Anabautista, la Episcopal, la Bautista, la Cuáquera, la Congregacional, la Unitaria, y miles más. ¿Podrían todas estar en lo cierto? ¿Podría por lo menos una estar en lo cierto? ¿Quién le diría al mundo cuál de éstas era la Iglesia de Jesucristo?

Las huestes del cielo observaban con gozosa anticipación como un joven en el Estado de Nueva York buscaba en su vecindario una iglesia a la cual unirse.

El amanecer de la larga-esperada restauración había llegado. La revelación de nuevo traspasaría el velo, y el reino de Dios empezaría a restablecerse aquí sobre la tierra.

JOSÉ SMITH, EL PROFETA DE LA RESTAURACIÓN

Ahora les presento a José Smith. Este es el hombre por el cual Dios, el Padre Eterno, y Su Hijo Jesucristo, escogieron para depositar la fundación del evangelio restaurado. Les daré partes de la propia narración de José Smith concerniente a los primeros eventos de la restauración:

> "Nací en año de nuestro Señor, mil ochocientos cinco, el día veintitrés de diciembre, en el pueblo de Sharon, Condado de Windsor, Estado de Vermount. Tendría yo unos diez años de edad, cuando mi padre, que también se llamaba José Smith, salió del Estado de Vermont se trasladó a Palmyra, Condado de Ontario (hoy Wayne), Estado de Nueva York. Como a los cuatro años de la llegada de mi padre a Palmyra, se mudó con su familia a Manchester, en el mismo Condado de Ontario".

La búsqueda por la religión verdadera de José Smith está descrita en los siguientes párrafos:

> "En medio de esta guerra de palabras y tumultos de opiniones, a menudo me decía a mí mismo: ¿Qué se puede hacer? ¿Cuál de todos estos grupos tiene la razón; o están todos en error? Si uno de ellos es verdadero, ¿cuál es, y cómo podré saberlo?
>
> Agobiado bajo el peso de las graves dificultades que provocaban las contiendas de estas sectas religiosas, un día estaba leyendo la Epístola de Santiago, primer capítulo y quinto versículo, que dice: "Y si alguno de vosotros tiene falta de sabiduría, pídala a Dios, el cual da a todos abundantemente, y sin reproche, y le será dada".

Ningún pasaje de las Escrituras jamás penetró el corazón de un hombre con más fuerza que éste, en esta ocasión el mío. Pareció introducirse con inmenso poder en cada fibra de mi corazón. Lo medité repetidas veces, sabiendo que si alguien necesitaba sabiduría de Dios, esa persona era yo; porque no sabía qué hacer, y a menos que pudiera obtener mayor conocimiento del que hasta entonces tenía, jamás llegaría a saber . . .

Finalmente llegué a la conclusión de que tendría que permanecer en tinieblas y confusión, o, de lo contrario, hacer lo que Santiago aconsejaba, esto es, recurrir a Dios . . .

Por consiguiente, de acuerdo con esta resolución mía de recurrir a Dios, me retiré al bosque para hacer la prueba. Fue en la mañana de un día hermoso y despejado, a principios de la primavera de 1820. Era la primera vez en mi vida que hacía tal intento, porque en medio de toda mi ansiedad, hasta ahora no había procurado orar vocalmente.

Después de apartarme al lugar que previamente había designado, mirando a mi derredor y encontrándome solo, me arrodillé y empecé a elevar a Dios los deseos de mi corazón. Apenas lo hube hecho, cuando súbitamente se apoderó de mí una fuerza que me dominó por completo, y surtió tan asombrosa influencia en mí que se trabó la lengua, de modo que no pude hablar. Una espesa niebla se formó alrededor de mí, y por un tiempo me pareció que estaba destinado a una destrucción repentina.

Mas esforzándome con todo mi aliento para pedirle a Dios que me librara del poder de este enemigo que se había apoderado de mí, y en el momento preciso en que estaba para hundirme en la desesperación y entregarme a la destrucción – no a una ruina imaginaria, sino al poder de un ser efectivo del mundo invisible que ejercía una fuerza tan asombrosa como yo nunca había sentido en ningún otro ser – precisamente en este momento de tan grande alarma vi una columna de luz, más brillante que el sol, directamente arriba de mi cabeza; y esta luz gradualmente descendió hasta descansar sobre mí.

> No bien se apareció, me sentí libre del enemigo que me había sujetado. Al reposar sobre mí la luz, vi en el aire arriba de mí a dos Personajes, cuyo fulgor y gloria no admiten descripción. Uno de ellos me habló, llamándome por mí nombre, y dijo, señalando al otro: ¡Este es mi Hijo Amado: Escúchalo!
>
> Había sido mi objeto recurrir al Señor para saber cuál de todas las sectas era la verdadera, a fin de saber a cuál unirme. Por tanto, luego que me hube recobrado lo suficiente para poder hablar, pregunté a los Personajes que estaban en la luz arriba de mí, cuál de todas las sectas era la verdadera, y a cuál debía unirme.
>
> Se me contestó que no debía unirme a ninguna, porque todas estaban en error; y el Personaje que me habló dijo que todos sus credos eran una abominación a su vista; que todos aquellos profesores se habían pervertido; que "con sus labios me honran, pero su corazón está lejos de mí; enseñan como doctrinas los mandamientos de hombres, teniendo apariencia de piedad, mas negando la eficacia de ella" (Perla de Gran Precio, José Smith 2:3, 10-19).

Veamos los eventos descritos como la primera visión. Estableció la realidad del Dios verdadero y viviente y de Su Hijo Jesucristo. Ningún conocimiento mayor se le podría haber dado al hombre. De este evento se impulsaron otros eventos subsecuentes en el proceso de la restauración.

LA REALIDAD DE PROFETAS MODERNOS

Mucha gente rechaza el concepto de un profeta moderno. El nombre no importa: ya sea José, David, Moisés Pedro o cualquier otro. El hecho es que todo profeta de Dios tiene un nombre, es un hombre mortal, y debe soportar los abusos de sus contemporáneos. Generaciones subsiguientes también criticarán las obras de los profetas. La "Primera Visión" de Saulo (Hechos 9:1-21), no le fue menos espectacular a él y a aquellos que le conocían como perseguidor de los cristianos. No obstante, el evento sucedió, Saulo no podía negarlo, y finalmente dio su vida por su testimonio.

El presidente Heber J. Grant, quien fue presidente y profeta de la Iglesia de Jesucristo de los Santos de los Últimos Días, ha comentado acerca de los eventos concernientes al testimonio de José Smith en los párrafos siguientes:

> "En muchos lugares he conocido personas que les gusta estudiar nuestra religión. Algunos decían: 'Podría aceptar todo lo que ustedes enseñan, solo si no fuera por este hombre José Smith. ¡Si sólo lo eliminaran a él!
>
> El día nunca vendrá cuando hagamos eso. Si ese fuera el caso de una vez podríamos eliminar a Jesucristo, el Hijo del Dios viviente. O José Smith sí vio a Dios y sí habló con él, y Dios mismo se presento a Jesucristo al joven, José Smith, y Jesucristo sí le dijo a José Smith que él sería el instrumento en las manos del Señor para nuevamente establecer sobre la tierra el verdadero evangelio de Jesucristo – o el Mormonismo, así llamado, es un mito. ¡Y el Mormonismo no es un mito! Es el poder de Dios para salvarnos. Es la Iglesia de Jesucristo, establecida bajo Su dirección, y toda la duda del mundo no puede cambiar los hechos fundamentales conectados en La Iglesia de Jesucristo de los Santos de los Últimos Días" (Improvement Era, Vol. 41, pág. 519).

EVENTOS MARAVILLOSOS ACOMPAÑAN EL PROCESO DE LA RESTAURACIÓN

Muchos grandes eventos que anteriormente habían sido profetizados se manifestarían a través de la restauración. El apóstol Pablo habló de una dispensación futura del evangelio que traería consigo todos los elementos de toda dispensación anterior, de nuevo a la tierra:

> "Dándonos a conocer el ministerio de su voluntad, según su beneplácito, el cual se había propuesto en sí mismo, de reunir todas las cosas en Cristo, en la dispensación del cumplimiento de los tiempos, así las que están en los cielos, como las que están en la tierra" (Efesios 1:9-10).

Tenemos hoy la plenitud del evangelio de Jesucristo sobre la tierra. Esta es la dispensación del cumplimiento de los tiempos. Todas las llaves o autoridad de las pasadas dispensaciones (Adán, Enoc, Noé, Abraham, Moisés y los apóstoles del meridiano de los tiempos), se han unidos por últimos vez.

El Dios de los cielos ha establecido un reino en estos últimos días: ". . .a fin de que su reino se extienda sobre la faz de la tierra" (Doctrina y Convenios 65:5). Es el reino de Dios aquí en la tierra. Su Iglesia, Su autoridad, Sus ordenanzas y Sus convenios, todos están presentes. Estos eventos han ocurrido completamente y precisamente como era necesario para el proceso de la restauración en los últimos días que empezó en 1820.

Dios mandó de nuevo a la tierra a ciertos profetas de dispensaciones pasadas como seres resucitados. Estos profetas poseían ciertas llaves (autoridad) de sus propias dispensaciones. Se les permitió conferir sobre José Smith y sus asociados todas las llaves y autoridades necesarias para:

> ". . . juntaré en una todas las cosas, tanto las que están en el cielo, como las que están en el cielo, como las que están en la tierra . . ." (Doctrina y Convenios 27:13).

Después de la Primera Visión el profeta José Smith recibió en ordenada sucesión varias visitas de mensajeros celestiales. El primero fue el Ángel Moroni, un profeta de la América antigua, Juan el Revelador ya había anunciado su llegada (la de Moroni) siglos pasados cuando predijo:

> "Vi volar por en medio del cielo a otro ángel, que tenía el evangelio eterno para predicarlo a los moradores de la tierra, a toda nación, tribu, lengua y pueblo, diciendo a gran voz: Temed a Dios, y dadle gloria, porque la hora de su juicio ha llegado; adorad a aquel que hizo el cielo y la tierra, el mar y las fuentes de las aguas" (Apocalipsis 16:6-7).

¿Qué mensaje de restauración le trajo el Ángel Moroni a José Smith? Era el Libro de Mormón. Este libro es un volumen compañero de la Biblia, ambas escrituras proclamando el evangelio de Jesucristo a la gente de esta tierra.

Otros seres resucitados han restaurado sus llaves en esta "última dispensación", conocida también como los últimos días. Juan el Bautista regresó a la tierra en mayo del año 1829 y restauró las llaves y autoridad del antiguo Sacerdocio Aarónico. El Sacerdocio de Aarón le dio a José Smith la autoridad para bautizar a toda persona digna de recibir la remisión de sus pecados. Poco tiempo después de la visita de Juan el Bautista se le aparecieron a José Smith: Pedro, Santiago, y Juan, apóstoles del Señor Jesucristo durante el meridiano de los tiempos, para conferir sobre él y su asociado las llaves y autoridad del Sacerdocio de Melquisedec (véase el capítulo 10).

LA AUTORIDAD DE DIOS ES RESTAURADA NUEVAMENTE SOBRE LA TIERRA

La autoridad para obrar en el nombre de Jesucristo vino de nuevo a la tierra con la restauración del sacerdocio. Con esta autoridad, la Iglesia de Jesucristo de los Santos de los Últimos Días se convirtió en realidad, el seis de abril de mil ochocientos treinta. Ahora que la Iglesia era administrada por representantes del sacerdocio autorizado de Jesucristo, llegó a ser la organización por la cual las obras de Dios de nuevo se realizaban sobre la tierra.

Otros mensajeros celestiales visitaron la tierra y entregaron sus llaves específicas al profeta José Smith. Apareció también Moisés para entregarle las llaves del recogimiento de Israel (obra misional) de las cuatro partes de la tierra (véase el capítulo 19).

Elías apareció y entregó a José las llaves de la dispensación del evangelio de Abraham (los convenios del sacerdocio a la casa de Israel). Después vino el profeta Elías quien entregó a José las llaves del sellamiento eterno de las familias para tiempo y eternidad (véase el capítulo 16). Así realizó Elías la profecía en Malaquías que dice:

> "He aquí, yo os envío el profeta Elías, antes que venga el día de Jehová, grande y terrible.
>
> Él hará volver el corazón de los padres hacia los hijos, el corazón de los hijos hacia los padres, no sea que yo venga y hiera la tierra con maldición (Malaquías 4:5-6).

¡Ángeles, seres celestiales, Dios el Padre, Jesucristo, visiones, revelaciones y escrituras restauradas; todo esto acompaña el proceso de la restauración! Que tiempos tan gloriosos son en los que vivimos. La época más fantástica de todos los tiempos es nuestra para disfrutarla. Los cielos están de nuevo abiertos. Profetas reciben la voluntad de Dios. Jesucristo de nuevo dirige Su Iglesia. La apostasía junto con sus perniciosas doctrinas y mentiras ha sido quebrantada por la roca de revelación y restauración.

LA RESTAURACIÓN SE HA REALIZADO

La restauración se ha realzado tal como se profetizó. Todas las doctrinas y ordenanzas necesarias del evangelio, hoy se encuentran restauradas a través de los profetas modernos dentro de la Iglesia de Jesucristo de los Santos de los Últimos Días.

Cualquiera que participa en la restauración del evangelio de Jesucristo con intención verdadera gozará de una vida que alcanza a todo aspecto de su ser.

Las enseñanzas de los hombres literalmente producen mayor confusión. Las enseñanzas del evangelio restaurado están edificadas sobre luz y verdad, nos conducen por un sendero resplandeciente de orden y paz. Mi propia experiencia con este contraste de vida es un vivo y despejado recuerdo. Aunque se oiga trivial debo decirles que conozco la diferencia entre la luz y la obscuridad en cuanto a principios eternos. Las iglesias de los hombres no pueden concebir el gozo disponible que se encuentra en la Iglesia verdadera. El evangelio verdadero de Jesucristo sobrepasa las enseñanzas de los hombres. No es sorprendente entonces que el así llamado Cristianismo tambalea en las profundidades de doctrinas y enseñanzas falsas.

Sé que José Smith fue instrumento en las manos del Señor para llevar a cabo los grandes eventos de la restauración. Es el amigo más querido de la humanidad. Les testifico que José Smith enseñó el evangelio de Jesucristo en su plenitud.

Referencias Adicionales: José Smith 2:1-6; Daniel 2: 26-45.

Capítulo 8

LA BIBLIA Y EL LIBRO DE MORMÓN

Idea Principal: El Señor nos ha dado muchos testimonios acerca de la divinidad de Su obra. Las escrituras son la llave a la verdad.

Mientras leía la Biblia, José Smith fue impulsado a inquirir del Señor lo que debería hacer en cuanto a su afiliación con alguna iglesia. Este libro sagrado es un vehículo que lleva al hombre a la verdad. Sin embargo, ¡Dios jamás declaró que no volvería a revelar Su voluntad al hombre en el futuro! Él es inalterable. Le habló al hombre en tiempos pasados. ¿Por qué no ahora? Es el hombre quien ha puesto ese límite con Dios. Una lectura meticulosa de Apocalipsis 22:18 le revelará al corazón honesto que Juan jamás intentó implicar que la habilidad de Dios de revelarle al hombre Su voluntad en el futuro había cesado. Juan registró que al estar en la Isla de "Patmos", un ángel que descendió de la presencia de Dios le reveló:

> "Yo testifico a todo aquel que oye las palabras de la profecía de este libro: Si alguno adhiere a estas cosas, Dios traerá sobre él las plagas que están escritas en este libro" (Apocalipsis 22:18).

¡No todo lo que Dios le ha revelado al hombre se ha registrado en la Biblia! Nótese la siguiente declaración de Juan:

> "Hizo además Jesús muchas otras señales en presencia de sus discípulos, las cuales no están escritas en este libro. Pero éstas se han escrito, para que creáis que Jesús es el Cristo, el

> Hijo de Dios, y para que creyendo, tengáis vida en su nombre" (Juan 20:30-31).

Juan también registró:

> "Y hay también otras muchas cosas que hizo Jesús, las cuales si se escribieron una por una, pienso que ni aun en el mundo cabrían los libros que se habrían de escribir. Amén (Juan 21:25).

Estamos agradecidos por lo que se ha revelado. Mucha gente no está consciente de que se han dado muchas más revelaciones. Negar que Dios puede revelar al hombre Su Voluntad en cualquier época es un grave error.

UTILICEMOS TODA ESCRITURA QUE DIOS HA REVELADO

Si utilizamos toda escritura que Dios ha revelado, podremos sobrepasar la dificultad de la cual habló Pablo al referirse a los hombres del mundo como " . . .siempre están aprendiendo, y nunca pueden llegar al conocimiento de la verdad" (2 Timoteo 3:7). ¿Por qué no son capaces de llegar al conocimiento de la verdad? Porque no aceptan "todas las escrituras que Dios ha revelado".

La misma Biblia habla de numerosos libros que no están disponibles para nosotros: El Libo del Pacto (Éxodo 24:4,7), Libro de las Batallas de Jehová (Números 21:14), Libro de Leyes (1 Samuel 10:25), Libro de los Hechos de Salomón (1 Reyes 11:41), y los libros de Natán y Gad (1 Crónicas 29:29), quedando varios por nombrar.

¿Por qué evadir el hecho de que existen revelaciones y escrituras adicionales que están disponibles? Si Dios escoge llamar a nuevos profetas, instruirlos, revelarles Su voluntad, y mandarles escribir Su palabra entonces es una tontería que el hombre declare que Él no puede ni debe llevar a cabo lo ya mencionado. ¡Es absurdo decir que a Dios le es imposible realizar cualquier cosa! ¿Cuándo dijo Dios que no podía o podría revelar Su voluntad al hombre? Si tal declaración existe, ésta no la encontramos en la Biblia porque en ella no está escrita. Por lo tanto, ¡cualquiera que encontrase tal declaración tendría una revelación no contenida en la Biblia!

¿Acaso no es lógico que Dios hablase con el hombre hoy así como lo hizo en los primeros 4,000 años de la historia de este mundo? ¿Puede Dios no preocuparse por sus hijos en estos días así como se preocupó por los de la antigüedad? ¿Sellaría Él los cielos por más de 19 siglos sin dar más instrucción a Sus hijos antes de la segunda venida de Su Hijo Jesucristo? Un principio fundamental de la Iglesia de Jesucristo de los Santos de los Últimos Días es el de la revelación. No creemos que los cielos estén cerrados. Doquier que encontramos profetas del Señor, encontraremos revelaciones. Nuestro noveno artículo de fe dice lo siguiente:

> "Creemos todo lo que Dios ha revelado, todo lo que actualmente revela, y creemos que aún revelará muchas grandes e importantes asuntos pertenecientes al reino de Dios" (La Perla de Gran Precio – Artículos de Fe, pág. 70).

Dios ha revelado escrituras adicionales. Uno de los registros principales que Él ha revelado en estos últimos días es el Libro de Mormón, el registro de un pueblo antiguo de la tierra prometida de América.

EL LIBRO DE MORMÓN ES ESCRITURA MODERNA

Un mensajero celestial llamado Moroni visitó a José Smith y le instruyó en cuanto a donde se encontraban las planchas de oro enterradas en un cerro cerca de donde vivía José. Este lugar se conoce hoy como el Cerro de Cumora y está localizado al oeste de Nueva York. Las planchas de oro contienen los registros de un pueblo antiguo que habitó en la tierra prometida de América. José Smith fue la persona a quien el Señor escogió para traducir estos anales y poner el relato a la disposición del mundo.

La traducción se terminó en 1829 y el Libro de Mormón fue publicado por primera vez en 1830. Hubo terrible oposición a la publicación de este libro de escritura. El ángel Moroni ya le había dicho a José que este libro recibiría gran hostigamiento.

¿Por qué fue tanta la oposición a la publicación de este libro? Porque a través de éste millones de personas se unirían a la Iglesia de Jesucristo. Entre los hombres no existe otra escritura que tan poderosamente atestigüe de la divinidad de Cristo. Es escritura en la forma más pura. Fue traducida por el poder de Dios directamente de las planchas que fueron escritas por los profetas de la América antigua.

Este registro no fue escrito por José Smith. Fue escrito por profetas antiguos quienes vivieron

> "... en una tierra escogida por sobre todas las demás tierras. Escogida, porque fue escogida para ser el depósito de escritos sagrados sobre planchas de oro de las cuales un día saldría el

Libro de Mormón. Fue escogida porque con el tiempo sería el anfitrión mundial de la sede de la Iglesia Restaurada de Jesucristo en los últimos días. También era escogida porque era una tierra de libertad para aquellos que adoran al Señor y guardan Sus mandamientos" (Presidente Russell M. Nelson, Seminario para Presidentes de Misión Nuevos, junio 2016).

MUCHAS PERSONAS VIERON LOS REGISTROS ANTIGUOS ORIGINALES

José Smith no fue el único testigo de la veracidad de las planchas de oro y del ángel Moroni. El Señor le permitió a otros hombres ver y palpar las planchas. En una ocasión, tres hombres pudieron ser testigos de las planchas y del ángel. En otra ocasión, a ocho hombres se les permitió ver y palpar las planchas de oro de las cuales José tradujo el Libro de Mormón. Estos testimonios se encuentran en el prólogo del Libo de Mormón. Estos hombres jamás negaron la declaración a la cual agregaron sus nombres (Véase el Apéndice VI).

El Libro de Mormón es la escritura compañera a la Biblia en dar testimonio de "que Jesús es el Cristo". Lo asombroso de este libro es que Dios le permitió a Moroni (el mismo Moroni quien se le apareció a José Smith como ser resucitado) que grabara en el libro una promesa al lector. Esta promesa es la verdadera prueba del libro y dice lo siguiente:

> "Y cuando recibáis estas cosas, quisiera exhortaros a que preguntéis a Dios el Eterno Padre, en el nombre de Cristo, si no son verdaderas estas cosas, y si pedís con un corazón sincero, con verdadera intención, teniendo fe en Cristo, él os manifestará la verdad de ellas por el poder del Espíritu Santo;
>
> Y por el poder del Espíritu Santo podréis conocer la verdad de todas las cosas.
>
> Y cualquier cosa que es buena, es justa y verdadera; por lo tanto, nada que sea bueno niega al Cristo, antes bien, reconoce que él existe" (El Libro de Mormón, Moroni 10:4-5).

Cualquiera persona que sinceramente aplique la prueba de la cual habla Moroni podrá saber que el Libro de Mormón es verdadero. Si jamás creyeron que la revelación les podría llegar, entonces deben buscar el testimonio espiritual prometido a aquellos a quienes pagan el precio. No vendrá a aquellos de corazón dudoso. El testimonio que viene por el poder del Espíritu Santo es demasiado sagrado para ser procurado sin verdadero ahínco, sin fe sincera y sin oración. José Smith dijo que:

> "El Libro de Mormón era el libro más correcto que cualquier otro en este mundo, y la llave a nuestra religión, y que un hombre se puede acercar más a Dios si vive por sus preceptos, que por cualquier otro libro" (Historia de la Iglesia de Jesucristo de los Santos de los Últimos Días, 4:461).

Les testifico que esto es verdad.

Al leer el Libro de Mormón, oren acerca de él y ganen un testimonio, un testimonio de su veracidad. El lector debe resolver por sí mismo si el Libro de Mormón es verdadero o no. Si, sí lo es, Dios sí escucha y contesta oraciones; Jesús es el Cristo; José Smith fue un profeta; la Iglesia de Jesucristo de los Santos de los Últimos Días es verdadera; y los profetas de Dios de los últimos días han continuado en ordenada sucesión desde José Smith. La revelación, por lo tanto, continúa dentro de la Iglesia hoy en día.

¿Cuál es el mensaje principal del Libro de Mormón? Es el de acercar al lector a Cristo. Es dado para convencer al Judío, al Gentil y al Lamanita, que la salvación depende de Cristo.

DIOS HA DADO AÚN MÁS REVELACIONES

Como he indicado previamente, "nosotros creemos todo lo que Dios ha revelado". Ya les debería estar claro que la revelación fue necesaria para obtener el Libro de Mormón y restaurar la Iglesia de Jesucristo en los últimos días. Este proceso no fue llevado a cabo con tan solo una revelación. Literalmente fueron necesarias cientos de revelaciones para restaurar el reino de Dios aquí sobre la tierra. Estas revelaciones cubrieron ciertos temas como la organización de la Iglesia, como ordenanzas, oficios del sacerdocio y sus funciones, doctrinas, instrucciones y admoniciones. Estas revelaciones fueron registradas como escritura para la guía y dirección de los líderes de la Iglesia a través de la historia de la misma.

EL LIBRO DE DOCTRINA Y CONVENIOS

No solamente utilizamos la Biblia y el Libro de Mormón como escritura, sino que también aplicamos este término a otros libros. El libro llamado Doctrina y Convenios es una compilación de las revelaciones que recibió el profeta José Smith entre los años 1823 y 1844. La mayor parte de estas revelaciones se le fueron dadas al profeta José en contestación a necesidades específicas cuando organizaban la Iglesia y el reino de Dios en estos los últimos días.

LA PERLA DE GRAN PRECIO

Otro libro que reverenciamos como escritura es llamado La Perla de Gran Precio. Contiene cuatro secciones mayores: el Libro de Moisés, el Libro de Abraham, los escritos de José Smith, y los Artículos de Fe. El libro de Moisés es equivalente a Génesis 1-6:13, pero contiene más de 20 versos adicionales. Es un registro del profeta Moisés. El libro de Abraham es una traducción de los antiguos registros de papiro de las catacumbas de Egipto. Contiene escritos del profeta Abraham durante su estancia en Egipto. Los escritos de José Smith incluyen un extracto del capítulo veinticuatro de Mateo, empezando con el último verso del capítulo veintitrés, versión del rey Santiago. También incluye una porción de la historia de José Smith. Los Artículos de Fe son trece declaraciones concernientes a las creencias de la Iglesia de Jesucristo de los Santos de los Últimos Días escritas por el profeta José Smith.

Dios continúa revelando Su voluntad al mundo a través de profetas vivientes. He llegado a conocer este aspecto del reino del Señor como una de las partes más emocionantes y preciosas de la Iglesia de Jesucristo de los Santos de los Últimos Días. ¡Imagínense! ¡Profetas vivientes en esta época que traen revelación continua de Dios al hombre! El Señor ha dicho:

> "Lo que yo, el Señor, he dicho, yo le he dicho, y no me disculpo; y aunque pasaren los cielos y la tierra, mi palabra no pasará, sino que toda será cumplida, sea por mi propia voz, o por la voz de mis siervos, es lo mismo" (Doctrina y Convenios 1:38).

Necesitan leer y meditar a través de la oración el Libro de Mormón. Es la llave que abre la puerta a mayores tesoros espirituales. A medida que lleguen a conocer la veracidad del Libro de Mormón, estarán preparados para recibir toda la escritura de estos últimos días y el consejo de profetas vivientes.

Les testifico que Dios tiene preparadas grandes cosas para aquellos que buscan Su palara. Declaro juntamente con Pablo que:

> ". . . cosas que ojo no vio, ni oído oyó. Ni han subido en corazón de hombre, son las cosas que Dios ha preparado para los que le aman" (1 Corintios 2:9).

Referencias Adicionales: Deuteronomio 4:2; Juan 1:16; José Smith 2:30-62).

Capítulo 9

LOS FRUTOS DE LA REVELACION MODERNA

Idea Principal: Los cielos están abiertos y el Señor revela Su voluntad a Sus profetas

La revelación fue el sello de la estancia del hombre sobre la tierra desde los días de Adán hasta el ministerio de Jesucristo y sus apóstoles. Aquellos hombres que fueron inspirados por Dios han dejado su testimonio sobre las páginas de la Biblia.

La misma Biblia es un testimonio de la validez de la revelación dada a los líderes elegidos por Dios. La Biblia es prueba suficiente de que la revelación ha estado disponible al hombre y por lo tanto aún puede estar disponible al hombre hoy. El profeta Amós dio a conocer la necesidad de la revelación al hombre en toda época cuando dijo:

> "Porque no hará nada Jehová el Señor, sin que revele su secreto a sus siervos los profetas" (Amós 3:7).

Es absurdo que en sus enseñanzas el hombre declare que la Biblia contiene todas las revelaciones, doctrinas, instrucciones, procedimientos y ordenanzas que el hombre necesita hoy. El profeta Nefi predijo que la negación de futura revelación sería el estado en el cual se encontraría el hombre en los últimos días cuando dijo:

> "¡Ay del que diga: Hemos recibido la palabra de Dios, y no necesitamos más de la palabra de Dios, porque ya tenemos suficientes!" (2 Nefi 28:29).

La revelación ha sido una parte vital en la restauración del evangelio de Jesucristo. La revelación es la roca sobre la cual está fundada la Iglesia de Jesucristo de los Santos de los Últimos Días. Sin la revelación, esta Iglesia cesaría de ser la Iglesia de Jesucristo. Aquellos que niegan el testimonio del Salvador que Dios nos ha proporcionado a través de la revelación moderna, se están negando a sí mismos el acceso a las verdades que necesitan hoy en día. ¿Deseáis negarle a Dios la habilidad de darles a Sus hijos más revelación? ¿Se le ha olvidado acaso como comunicarse con el hombre? ¿Acaso no necesitamos que Su voluntad nos sea revelada hoy en día?

LA REVELACIÓN ES ESENCIAL EN ESTOS DÍAS

Dios no cambia. Continúa derramando Su inspiración sobre el hombre a través de Su Hijo amado a los profetas y líderes de hoy en Su Iglesia verdadera. El mundo de hoy necesita la revelación tanto como se necesitó en la antigüedad. Rápidamente la maldad y la perversidad van cubriendo desenfrenadamente la faz de la tierra. ¿Qué es lo que el Señor desea que sus siervos fieles hagan ante este ataque furioso de Satanás? Seguramente les es aparente que la revelación desesperadamente se necesita hoy en día para poder afrontar los eventos que precederán la segunda venida de Jesucristo.

La revelación ha establecido la doctrina verdadera del Dios viviente y de Su resucitado y glorificado Hijo Jesucristo. Ha establecido el modo verdadero del bautismo y la autoridad para administrar el bautismo en agua. Además ha restaurado la autoridad del Sacerdocio de Dios para actuar de nuevo en el nombre de Jesucristo aquí sobre la tierra. La revelación nos ha asegurado la restauración del Reino de Dios en estos los últimos días sobre la tierra fundando la Iglesia de Jesucristo de los Santos de los Últimos Días. Ha iluminado las mentes de los profetas modernos quienes han traído a la luz la palabra de Dios a un mundo perturbado y confuso. El Libro de Mormón, Doctrina y Convenios, y la Perla de Gran Precio no son sino ejemplos de la revelación continúa de Dios. Tenemos en alta estima la revelación que está accesible día a día, semana a semana, mes a mes, y año tras año a los profetas, apóstoles, líderes de la iglesia, padres, madres e hijas quienes son merecedores dignos de tal inspiración.

Les testifico con entusiasmo que los cielos están abiertos. Proclamo juntamente con otros a todo hombre donde quiera que se encuentra, que Dios ha hablado acerca de decenas y decenas de temas contemporáneos.

No es menester adivinar en asuntos que nos conciernen grandemente -- ¡Dios ha hablado! Nuestra tarea no es la de preguntar si Dios puede o no revelar Su voluntad al hombre. Nuestra tarea es aceptar el llamamiento de los profetas de los últimos días que el Señor levanta para nuestra generación. Me regocijo en el principio de la revelación continua en nuestros días.

El Señor mantendrá informados a Sus hijos acerca de temas contemporáneos si solo escuchan a los líderes que ha puesto sobre ellos.

EXISTEN PROFETAS VERDADEROS SOBRE LA TIERRA EN LA ACTUALIDAD

El mundo ni acepta ni comprende que los profetas verdaderos de la actualidad no están solamente para guiar a los miembros de la iglesia verdadera. Son profetas para la humanidad entera. Sin embargo, igual que en los tiempos Bíblicos, en la actualidad son muy pocos aquellos que prestan oído a las palabras del profeta. ¿Por qué es que el hombre es inclinado a reverenciar a los profetas muertos y a rechazar a los vivientes?

Existe una manera ordenada por la cual se da la revelación. El Presidente de la Iglesia de Jesucristo de los Santos de los Últimos Días es sostenido por la gente y por el Señor como profeta, vidente y revelador de la Iglesia. Posee las llaves del reino de Dios sobre la tierra. Mientras que el profeta y presidente de la Iglesia vigila la obra del Señor por toda la tierra, a otros se les delegan responsabilidades para asistir en esta obra. Doce apóstoles asisten al profeta en las responsabilidades mayores de la Iglesia. Autoridades Generales, presidentes de estaca, obispos, hombres y mujeres en diferentes capacidades son asignados a deberes específicos en el gobierno de la Iglesia a través del mundo.

Nuestra seguridad en enfrentar las pruebas y dificultades de los últimos días, depende de cómo seguimos a nuestros líderes designados. Algunas de nuestras pruebas más grandes vienen en el permanecer fieles a los siervos que el Señor ha escogido. Aquellos que claman autoridad sin poseerla se convierten en profetas falsos a sí mismos. El presidente Harold B. Lee dijo lo siguiente:

> "Debemos aprender a hacer caso de las palabras y mandamientos que el Señor da por medio de sus profetas.

> Habrá algunas cosas que tomarán paciencia y fe. Tal vez no les agrade algo que viene de la autoridad de la Iglesia. Tal vez contradiga tu pensar en asuntos políticos. Tal vez contradiga tu pensar en asuntos sociales. Tal vez interfiera con alguna parte de tu vida social.
>
> . . .tu protección y la nuestra dependen de si seguimos o no a aquellos a quienes el Señor ha puesto para presidir sobre esta Iglesia. Él sabe a quién quiere para presidir sobre esta Iglesia, no habrá error. El Señor no hace las cosas por accidente (Harold B. Lee, "Reporte de la Conferencia", octubre, 197, pp. 152-153).

LA REVELACIÓN FUNCIONAL EN LA IGLESIA VERDADERA

Mucha gente se pregunta cuál es el secreto detrás del ingenio de las obras de la Iglesia de Jesucristo de los Santos de los Últimos Días. La respuesta es sencilla aunque profunda, es el principio de la revelación. ¡Esta Iglesia no toma ninguna acción sobre ningún punto en cuestión hasta que el Señor hable con su profeta! Cuando el Señor habla, la Iglesia y el mundo se benefician de este consejo a través de los canales oficiales de la Iglesia. El Señor está revelando –Su voluntad a todo ser sobre la tierra. Nosotros creemos que cuando la presidencia habla en el nombre del Señor, eso llega a ser escritura.

Existe abundante evidencia de que la inspiración del Señor trabaja a través de la gente y de los programas de la Iglesia. Qué gozo es ser parte de una organización donde uno puede ver y sentir el poder de la inspiración y la revelación obrando sobre la tierra. Imagínense la paz y la felicidad que viene a personas y a familias que esperan que el Señor guié y dirija Su reino hoy así como lo hizo en la antigüedad.

Proclamamos que el Señor está dispuesto a hablar a Su pueblo en estos días como lo ha hecho en tiempos pasados. El propósito del evangelio de Jesucristo no se podrá comprender si no aceptamos primeramente el principio de la revelación continua. El profeta Moroni dijo:

> "Y también os hablo a vosotros que negáis las revelaciones de Dios y decís que ya han cesado, que no hay revelaciones, ni profecías, ni dones, ni sanidades, ni hablar en lenguas, ni la interpretación de lenguas. He aquí, os digo que aquel que niega estas cosas no conoce el evangelio de Cristo; sí, no ha leído las

> Escrituras; y si las ha leído, no las comprende. Pues, ¿no leemos que Dios es el mismo ayer, hoy y para siempre, y que en él no hay variación ni sombra de cambio?" (El Libro de Mormón, Mormón 9:7-9).

El Señor ha hablado claramente en cuanto a revelaciones adicionales dadas a Sus hijos en toda época. Amonesta a los incrédulos de la siguiente manera:

> "¿Por qué murmuráis por tener que recibir más de mi palabra? ¿No sabéis que el testimonio de dos naciones os es un testigo de que yo soy Dios, y que me acuerdo tanto de una nación como de otra? Por tanto, hablo las mismas palabras, así a una como a otra nación. Y cuando las dos naciones, se junten, el testimonio de las dos se juntará también.
>
> Y hago esto para mostrar a muchos que soy el mismo ayer, hoy y para siempre; y que declaro mis palabras según mi voluntad. Y no supongáis que porque hablé una palabra, no puedo hablar otra; porque aún no está terminada mi obra; ni se acabará hasta el fin del hombre; ni desde entonces para siempre jamás.
>
> Así que por tener una Biblia, debéis suponer que contiene todas mis palabras; ni tampoco debéis suponer que no he hecho escribir otras más" (El Libro de Mormón, 2 Nefi 29:8-10).

¿No es acaso absurdo que hombres que jamás han recibido revelación nieguen que ésta es posible? El Señor ha indicado que es capaz y que está dispuesto a dar más revelación en estos últimos días a aquellos que están dispuestos a servirle con rectitud y verdad.

Todo miembro de la Iglesia de Jesucristo ha recibido el don del Espíritu Santo y se espera que viva de acuerdo con los principios de rectitud y verdad. Al vivir de tal manera es merecedor de la revelación personal necesaria para sus propias necesidades. La revelación es el centro de la fe de la gente Mormona. Es de ellos el poder y el derecho de recibir revelación para su propio bienestar. También tienen fe en que Dios revelará a sus líderes aquellas cosas que les son necesarias para guiarles y protegerles contra las maldades de estos los últimos días. Si el hombre no está en armonía con la mente y la voluntad del Señor, ¿a quién seguirá? ¿Cuáles influencias y persuasiones guiarán su vida? ¿Cuál viento de doctrina escogerá, cuál viento que va o viene experimentará, el son de cuál tambor seguirá?

Como pueblo anticipamos muchas más revelaciones de Dios. El Dios viviente continúa hablando a Su pueblo a través de Su Hijo viviente Jesucristo. Esto no es un reino en los últimos días establecido por hombres. Es el reino de Dios, y es dirigido por Dios. Sin revelación esta Iglesia se convertirá como todas las otras iglesia del hombre. Sin embargo, a causa de la revelación, está viva y produce frutos de paz, armonía y crecimiento mundial. Estos frutos se manifiestan en nuestros hogares, familias, ocupaciones, negocios y en nuestro servicio y devoción a la causa de Jesucristo.

Son pocos los principios que tengo en mayor estima y que amo más que el de la revelación. Es el acierto de mi creencia que coloca mi fe en el Salvador más que cualquier otra cosa. Sé que Él dirige la Iglesia. No encuentro palabras que expresen mi agradecimiento por Sus profetas, apóstoles y los demás líderes inspirados de nuestros tiempos. Que gozo es sentarse a Sus pies y participar de los frutos de la revelación contemporánea.

Me he unido a esta Iglesia porque han sido llamados por Dios profetas en los últimos días para hacer Su obra. Recuerdo el año, el mes, el día y hasta el mismo instante en que mi corazón abrazó el testimonio de que José Smith era un profeta de Dios. Él hizo la obra de un profeta y fue un instrumento en las manos de Dios para hacer que Su voluntad fuera conocida nuevamente sobre la tierra.

Dios continúa levantando profetas de los últimos días y yo me regocijo en el principio de la revelación continua para nuestro día. Agradezco la oportunidad de sentarme a los pies de la Primera Presidencia y el Quórum de los Doce Apóstoles a quienes sostenemos como profetas, videntes y reveladores. De estos hombres, el mismo Señor ha dicho en nuestros días:

> "Lo que yo, el Señor, he dicho. Yo lo he dicho, y no me disculpo; y aunque pasaren los cielos y la tierra, mi palabra no pasarán, sino que toda será cumplida, sea por mi propia voz o por la voz de mis siervos, es lo mismo" (Doctrinas y Convenios 1:38).

Como miembros de la Iglesia somos como lo testificó el apóstol Pablo:

> "Así que ya no sois extranjeros ni advenedizos, sino conciudadanos con los santos y miembros de la familia de Dios; edificados sobre el cimiento de los apóstoles y profetas, siendo

la principal piedra del ángulo Jesucristo mismo" (Efesios 2:19-20).

Me regocijo grandemente por la restauración de los libros de escritura que tenemos para nuestro uso y capacitación hoy día. ¡Por supuesto que el Libro de Mormón es verdadero! Habla de Cristo; habla de aquellos que se regocijan en Cristo; está lleno de las predicaciones de Cristo; profetiza de Cristo nos testifica a nosotros y a nuestros hijos respecto a la fuente de la remisión de nuestros pecados. ¡Por supuesto que es otro testigo de Jesucristo! ¡Por supuesto que Dios habla a los hombres en estos últimos días tal como lo hizo en la antigüedad! Es una certeza que la revelación está en operación constante en esta Iglesia!

La autoridad de Dios sobre esta tierra reside en los poseedores del sacerdocio autorizados de esta Iglesia. Sin lugar a dudas, por lo tanto, todas las ordenanzas de salvación y vida eterna se encuentran en esta Iglesia. Aquello que está sellado por la autoridad verdadera del sacerdocio sobre la tierra, también está sellado en el cielo.

Si, la Restauración nuevamente ha traído a la tierra la verdadera doctrina y ordenanzas del evangelio de Jesucristo. La Restauración afecta cada fibra de nuestro ser. Consume cada parte de nuestra jornada mortal. Nos mantiene enfocados en cuál camino debemos tomar en nuestra búsqueda diaria del significado de la vida. Verdaderamente existe un camino derecho y estrecho que conduce a la vida eterna siguiendo al Salvador y a los profetas vivientes. *Debemos aceptarlos como capacitadores inspirados en nuestra carrera de la vida.*

El profeta Nefi declaró:

> "Por tanto, debéis seguir adelante con firmeza en Cristo, teniendo un fulgor perfecto de esperanza y amor por Dios y por todos los hombres. Por tanto, si marcháis adelante, deleitándoos en la palabra de Cristo, y perseveráis hasta el fin, he aquí, así dice el Padre: Tendréis la vida eterna.
>
> Y ahora bien, amados hermanos míos, ésta es la senda; y no hay otro camino, ni nombre dado debajo del cielo por el cual el hombre pueda salvarse en el reino de Dios" (2 Nefi 31:20-21).

Parte de nuestra capacitación mortal es caminar por la fe, arrepentirnos de nuestros pecados, y orar al Señor diariamente. Nos regocijamos en los momentos en que los susurros del Espíritu Santo bondadosamente nos son dados, y somos instados a caminar por el camino de la vida adecuado. Pero cada uno de nosotros nos enfrentamos a muchos tiempos difíciles aquí en la mortalidad. Toda clase de voces nos están gritando desde los estadios de la opinión pública. Nuestro curso jamás será el camino popular del mundo. Hay obstáculos en nuestro camino sobre los cuales podemos falsear un tobillo o darnos un golpe en los dedos. Pero debemos seguir adelante. Nos movemos con la fuerza del Señor, cada uno responsable por nuestro desempeño al final de nuestra carrera mortal. Debemos poder declarar con Pablo:

> "He peleado la buena batalla, he acabado la carrera, he guardado la fe.
>
> Por lo demás, me está reservada la corona de justicia, la cual me dará el Señor, juez justo, en aquel día; y no sólo a mí, sino también a todos los que aman su venida" (2 Timoteo 4:7-8).

Referencias Adicionales: 2 Nefi 28:29-30; Doctrina y Convenios 11:25; Doctrina y Convenios 76:7-10; Doctrina y Convenios 3:4; Doctrina y Convenios 82:34.

Capítulo 10

"SOBRE ESTA ROCA" . . . ¿CUÁL ROCA?

Idea Principal: La revelación es el fundamento de la Iglesia de Jesucristo de los Santos de los Últimos Días.

¿Cómo podemos llegar al conocimiento de que Jesús es el Cristo? De la misma manera en que el apóstol Pedro lo supo: ¡Por el poder de la revelación! Millares de personas han contendido erróneamente que Jesucristo construyó Su Iglesia sobre Pedro. La Iglesia de Jesucristo jamás se ha construido sobre un hombre. El apóstol Pedro sabía que no era él el poder de la Iglesia. Estando lleno del Espíritu Santo, Pedro dio ferviente testimonio acerca de Jesucristo a los gobernadores y élderes de Israel de su tiempo:

> "Sea notorio a todos vosotros, y a todo el pueblo de Israel, que en el nombre de Jesucristo de Nazaret, a quien vosotros crucificasteis y a quien Dios resucitó de los muertos, por él este hombre está en vuestra presencia sano.
>
> Este Jesús es la piedra reprobada por vosotros los edificadores, la cual ha venido a ser cabeza del ángulo.
>
> Y en ningún otro hay salvación; porque no hay otro nombre bajo el cielo, dado a los hombres, en que podamos ser salvos" (Hechos 4:10-12).

Estamos endeudados al escritor inspirado, o sea Lucas, por la significante cantidad de información concerniente al evento en el cual Pedro y otros discípulos participaron. Tres de los evangelistas, Mateo, Marcos y Lucas, tomaron notas de una conversación entre el Salvador y Pedro concerniente a la identidad verdadera del Maestro. El relato de Lucas es el único que indica que Jesús y los discípulos se encontraban solos cuando esta escena tomó lugar. Esta nos es representada por Mateo:

> "Viniendo Jesús a la región de Cesárea de Filipo, preguntó a sus discípulos, diciendo: ¿Quién dicen los hombres que es el Hijo del Hombre?
>
> Ellos dijeron: Unos, Juan el Bautista; otros, Elías, y otros Jeremías, o alguno de los profetas.
>
> Él les dijo: Y vosotros, ¿quién decís que soy yo?
>
> Respondiendo Simón Pedro, dijo: Tú eres el Cristo, el Hijo del Dios viviente.
>
> Entonces le respondió Jesús: Bienaventurado eres, Simón, Hijo de Jonás porque no te lo reveló carne ni sangre, sino mi Padre que está en los cielos" (Mateo 16:13-17).

PEDRO SUPO QUIÉN ERA JESÚS POR MEDIO DE LA REVELACIÓN

El Salvador alabó a Pedro por su declaración que fue inspirada no por carne ni sangre (ni hombre) sino por la inspiración del Espíritu Santo (de Dios). Su testimonio era seguro y verdadero, como lo es el de cualquiera que confía en la revelación como fuente divina de verdad. Pedro obviamente sabía que Cristo era de una naturaleza diferente a la de los demás hombres. Declaró que Él era el Hijo del Dios viviente.

Retengamos en mente el principio de la revelación mientras vemos más a fondo la conversación entre Pedo y el Salvador:

> "Y yo también te digo, que tú eres Pedro, y sobre esta roca edificaré mi iglesia; y las puertas del Hades no prevalecerán contra ella" (Mateo 16:18).

El Salvador está diciendo que Pedro es un hombre mortal, igual como todos los líderes de la Iglesia de Cristo, y que sobre la roca de la revelación Él (Cristo) construirá la Iglesia. ¿Cuál roca? ¡La roca de la revelación! ¿Cuál Iglesia está fundada sobre la roca de la revelación? La Iglesia de Jesucristo de los Santos del los Últimos Días – esta es la misma Iglesia construida sobre el mismo fundamento de la revelación. ¡Las iglesias de los hombres niegan la revelación! Dicen que la revelación cesó después de la compilación de la Biblia. ¡El mismo hecho de negar el concepto de la revelación moderna los descalifica de poder enseñar cualquier cosa en el nombre de Jesucristo o de formar cualquier organización en su nombre!

Toda revelación se centraliza en nuestra fe y testimonio de que Jesús es el Cristo, la roca de la revelación. Pedro comprendía este concepto como vemos en la siguiente declaración:

> "y todos bebieron la misma bebía espiritual; porque bebían de la roca espiritual que los seguía, y la roca era Cristo" (1 Corintios 10:4).

LOS APÓSTOLES Y PROFETAS FORMAN PARTE DE LA IGLESIA VERDADERA

La Iglesia de Jesucristo siempre se edifica sobre un fundamento seguro y sólido como una roca. Siendo así tendrá apóstoles y profetas, Jesucristo siendo la piedra angular (Efesios 2:20).

La posición de Pedro a la cabecera de los apóstoles, o Presidente de la Iglesia, le permitía gozar de ciertas responsabilidades y privilegios llamados llaves. Vemos estas llaves ser otorgadas a Pedro por Jesucristo en la siguiente manera:

> "Y a ti te daré las llaves del reino de los cielos, y todo lo que atares en la tierra será atado en los cielos; y todo lo que desatares en la tierra será desatado en los cielos" (Mateo 16:19).

Las llaves del reino son los derechos dados por Dios a los hombres para que presidan sobre, dirijan, controlen, y gobiernen la Iglesia y Reino de Dios aquí sobre la tierra. Estas mismas llaves las poseen profetas y apóstoles en estos los últimos días de la Iglesia restaurada. Estas llaves solamente se pueden otorgar por Jesucristo y por medio de la revelación.

Fue el apóstol Pedro, juntamente con Santiago y Juan, quien regresó a la tierra en junio del año 1829 y entregó a José Smith y a Oliverio Cowdery la autoridad y las llaves para administrar en los asuntos de la Iglesia de Jesucristo en estos los últimos días. Sé que es sobre la roca de la revelación que proviene de Jesucristo que la Iglesia desempeña todos los asuntos del Reino de Dios sobre la tierra hoy en día.

He llegado a saber con certeza que el principio de la revelación es el fundamento de esta Iglesia hoy en día. Cuando era Católico me refería a la Biblia y a Mateo 16:18, una y otra vez. Edifiqué toda mi base teológica sobre esta escritura y me aferré a la creencia de que el Catolicismo se centraba alrededor de Pedro. El ayuno, la oración y el estudio me demostraron lo contrario cuando reconocí la realidad de la revelación y de la autoridad verdadera. Ahora me doy cuenta de que Pedro era el medio por el cual la revelación vino a la Iglesia primitiva. Yo sé que la revelación es el fundamento sólido de la Iglesia de Jesucristo en cualquier dispensación, y que éste es definitivamente el caso en esta la última dispensación.

Estoy sumamente agradecido de que la revelación moderna ha traído consigo la restauración de la Iglesia verdadera. No me disculpo por mi creencia de que existe sobre la tierra hoy en día solamente una iglesia verdadera y viviente que posee la aprobación divina de Dios y Jesucristo.

EL HECHO DE PERTENECER A CUALQUIERA IGLESIA NO ES SUFICIENTE

Me siento triste cuando la gente degrada el valor de la religión al decir "cualquier cosa vale". Han escuchado el siguiente comentario de muchas personas, "¡No importa a cual iglesia perteneces; todas producen el mismo resultado!" Bueno esto es cierto. Todas las iglesias de los hombres producen el mismo resultado; todas dejan a uno sin la exaltación . Únicamente la Iglesia verdadera de Jesucristo posee el poder, la autoridad, y las ordenanzas necesarias para producir un pueblo digno de vivir con Dios.

Veamos una escritura. Jesús dijo:

> "Yo soy el camino, y la verdad, y la vida; nadie viene al Padre, sino por mí" (Juan 14:6).

¿Suena esto como el comentario típico "cualquier cosa vale?" Lo que sigue es otro comentario de Jesucristo como respuesta a la súplica de José Smith en cuanto a cuál iglesia debería unirse:

> "Se me contestó que no debía unirme a ninguna, porque todas estaban en error . . ." (José Smith 2:19).

¿Parece eso decir que el Señor Jesucristo acepta a toda iglesia y a todo ministro que enseña en su nombre?

LAS ENSEÑANZAS DEL HOMBRE NO TRAERÁN LA VIDA ETERNA

El hombre no debe suponer que el camino de la vida eterna con Dios es por las creencias y doctrinas del hombre. Las doctrinas y creencias del hombre son compuestas de todo tipo de ordenanzas, prácticas, y enseñanzas no autorizadas. Si buscamos con esfuerzo sincero participar en una religión, busquemos la que tiene el poder de salvar. Busquemos la religión que tiene la autoridad de Dios para administrar en sus asuntos aquí sobre la tierra. ¡Además, esto es lo que Jesucristo mismo hizo mientras estuvo sobre la tierra! El buscó la voluntad de Dios y se le instruyó que organizara una iglesia, la Iglesia de Jesucristo. Entonces llamó a apóstoles, profetas, evangelistas, pastores, maestros (Efesios 4:11), y los apartó para que desempeñaran Su obra. Tenía obispos y diáconos (Filipenses 1:1), setentas (Lucas 10:1), y élderes (Hechos 14:23). Cristo mismo era sumo sacerdote (Hebreos 5:10).

He pensado a menudo en la escritura en Mateo concerniente a aquellos que obran en el nombre de Jesucristo sin Su autoridad:

> "Muchos me dirán en aquel día: Señor, Señor, ¿no profetizamos en tu nombre, y en tu nombre echamos fuera demonios, y en tu nombre hicimos muchos milagros?
>
> Y entonces les declararé: Nunca os conocí: apartaos de mí hacedores de maldad" (Mateo 7:22-23).

Estas palabras muestran la exactitud y la finalidad de la manera en que obra Dios. No existen substitutos que sean suficientes para salvar al hombre de sus senderos erróneos. El Salvador dijo:

> "Entrad por la puerta estrecha; porque ancha es la puerta, y espacioso el camino que lleva a la perdición, y muchos son los que entran por ella;
>
> Porque estrecha es la puerta, y angosto el camino que lleva a la vida, y pocos son los que la hallan" (Mateo 7:13-14).

La palabra "estrecha" como se usa aquí significa angosta y restringida. Quiere decir estricta, rígida, y escrupulosa. Existe literalmente, "Un Señor, una fe, un bautismo" (Efesios 4:5), aceptados por Dios. Después de casi veinte siglos en los cuales se ha promulgado la religión Cristiana sobre la faz de la tierra, ¿dónde está la iglesia que reclama al Señor?

LA IGLESIA DE JESUCRISTO LLEVARÁ SU NOMBRE

Podía ver en la Iglesia de Jesucristo de los Santos de los Últimos Días cualidades intrigantes que me llevaron a investigar sus enseñanzas. La mayoría de las iglesias Cristianas llevan el nombre de algo o alguien y no el de Jesucristo. Parece ser un principio sencillo, mas es profundo y de significancia que Jesucristo escogiera llamar su evangelio y su Iglesia por su nombre. Notemos Su instrucción sobre este tema dada al pueblo del Libro de Mormón:

> "¿No han leído las Escrituras que dicen que debéis tomar sobre vosotros el nombre de Cristo, que es mi nombre? Porque por este nombre seréis llamados en el postrer día; . . .de modo que daréis mi nombre a la Iglesia" (El Libro de Mormón, 3 Nefi 27:5, 7).

En el proceso de la restauración del evangelio el Señor instruyó al profeta José Smith en cuanto al nombre de la Iglesia de la siguiente manera:

> "Porque así se llamará mi iglesia en los postreros días, a saber, La Iglesia de Jesucristo de los Santos de los Últimos Días " (Doctrina y Convenios 115:4).

No es la prerrogativa del hombre ponerle nombre a la iglesia que ha de llevar el nombre de Jesucristo. Jesucristo nombrará la iglesia. Su iglesia se llama la Iglesia de Jesucristo de los Santos de los Últimos Días, solamente para distinguirla de la Iglesia de Jesucristo de los tiempos antiguos. Los términos Iglesia Mormona o Santos de los Últimos Días son comúnmente usados para identificar a los miembros de la Iglesia hoy en día. "Santos" es el nombre dado a los miembros de la Iglesia tanto en los tiempos Bíblicos como en los modernos.

¿POR QUÉ PERTENECER A UNA IGLESIA?

El deber sagrado de salvar almas en el reino de Dios es un proceso que exige exactitud. Una persona puede preguntarse para qué necesitamos una iglesia. Se preguntará si acaso no podrá encontrar a Dios simplemente a través del estudio y la oración y se excluye a sí mismo de la unión a una iglesia de organización formal. El estudio y la oración individual son aceptables, sin embargo, el Señor exige que seamos bautizados. Debemos ser bautizados y confirmados a la Iglesia y al reino de Dios y así recibir al Espíritu Santo. Las ordenanzas necesarias para llevarnos a la presencia de Dios se pueden obtener solamente por membresia en la Iglesia. No están a la disposición de aquellos que no están dispuestos a cumplir con los juramentos necesarios para unirse a la Iglesia y vivir de acuerdo con los mandamientos de Dios.

La Iglesia cumple con los requisitos de las escrituras, tanto antiguas como modernas. Cumple con todas las calificaciones requeridas de la Iglesia de Jesucristo. Les testifico que ésta es la única iglesia verdadera sobre la faz de la tierra. En una revelación dada a José Smith en el año 1831, el Señor dijo:

> "Y también, para que aquellos a quienes se dieron estos mandamientos tuviesen el poder para establecer los cimientos de esta iglesia y de hacerla salir de la oscuridad y de las tinieblas, la única iglesia verdadera y viviente sobre la faz de toda la tierra, con la cual yo, el Señor, estoy bien complacido, hablando a la iglesia colectiva y no individualmente " (Doctrina y Convenios 1:30).

El estudio y la oración me hicieron comprender que la restauración de la Iglesia de Jesucristo era la única manera en que la religión verdadera podría ser fomentada entre los hombres. He llegado a saber, como el apóstol Pedro testificó:

> "y él es la cabeza del cuerpo que es la iglesia, él que es el principio, el primogénito de entre los muertos, para que en todo tenga la preeminencia" (Colosenses 1:18).

Sé que esta Iglesia es la de Él, pues he visto Su poder obrar dentro y a través de ella.

LECCIONES DEL ANTIGUO TESTAMENTO: ATALAYAS DEL SEÑOR

Una de las grandes bendiciones de nuestra membresía en la Iglesia restaurada es tener la oportunidad de ser dirigidos por profetas y apóstoles del Señor, como fueron dirigidos los miembros de la iglesia de la antigüedad. Hace años cuando era un recién converso, note que mis amigos y colegas en la Iglesia de Jesucristo de los Santos de los Últimos Días no se apenaban al declarar su deseo de "seguir a las Autoridades". Llegué a entender que se referían a seguir a los 15 hombres a quienes el Señor había designado como profetas, videntes y reveladores y Sus testigos especiales en los últimos días. En la antigüedad se referían a estos hombres como "Atalayas de la casa de Israel" (Ezequiel 33:7) y "Sobre tus muros, oh Jerusalén, he puesto guardias . . ." (Isaías 62:6). ". . . y oirás las palabras de mi boca y les advertirás de mi parte" (Ezequiel 33:7).

En los últimos días el Señor dio una parábola en la cual el hombre noble le dijo a su siervo :

> "y poned centinelas alrededor de ellos . . . y edificad una torre para que uno vigile el terreno circunvecino y sea el atalaya . . ." (Doctrina y Convenios 101:45).

Así como un "atalaya en la torre" pudo proteger a su gente debido a la perspectiva que le fue dada, así los profetas y apóstoles nos protegen.

Experiencias Personales

Mi aprecio por la visión, percepción, naturaleza reveladora y discernimiento trascendental de nuestros profetas vivientes se ha intensificado debido a las experiencias personales que he tenido en las altas torres de observación de los parques nacionales de Estados Unidos. Inmediatamente después de nuestro sellamiento en el Templo de Cardston Alberta, mi esposa y yo viajamos al norte de Idaho para iniciar mi asignación en Anthony Peak en el bosque nacional de St. Joe. Habíamos de ser "atalayas en la torre" durante el verano, vigilando que no hubiera incendios provocados por personas descuidadas acampando allí o por excursionistas, o provocados por chispas de maquinaria pesada o chumaceras de trenes, o encendido por relámpagos en tormentas. Estábamos hospedados en lo alto en una cabaña de 20 x 20 pies con cuatro paredes de vidrio colocadas sobre cuatro corpulentas patas.

Antes de tomar residencia en la torre de observación, visitamos al presidente de la Rama de St. Maries, a unas 35 millas de la torre; para pedirle consejo respecto a nuestras responsabilidades como miembros de la Iglesia viviendo en su rama. No teníamos acceso a las reuniones de la Iglesia debido a nuestro aislamiento y obligaciones profesionales diarias mientras vigilábamos en la torre. Él nos dio permiso y nos alentó para que lleváramos a cabo todas las reuniones y actividades de la Iglesia en la torre como pareja.

Al llegar cada domingo ese verano, preparábamos nuestros servicios de adoración, siguiendo los mandamientos del Señor y consejo de las Autoridades Generales de asistir a la Iglesia, nutrirnos el uno al otro en el evangelio, y renovar fielmente nuestros convenios. La reunión del sacerdocio fue efectuada para el único poseedor del sacerdocio en asistencia; La reunión de la Sociedad de Socorro fue preparada por mi querida esposa; las lecciones de la Escuela Dominical fueron implementadas por nosotros tomando turnos para presentar las lecciones; y la reunión sacramental siempre fue una oportunidad sagrada para cantar, orar, bendecir y repartir la santa cena en memoria de la Expiación del Salvador. Hicimos esto compartiendo discursos y testimonios el uno con el otro. Teníamos todo lo que necesitábamos para ser miembros activos de la Iglesia: las escrituras, los manuales, lecciones de noche de hogar, nuestra fe, nuestra obediencia a nuestros convenios eternos con el Señor, así como el deseo de honrar al Señor y Sus profetas y apóstoles para perseverar hasta el fin. Disfrutamos del 100% de asistencia en todas nuestras reuniones, ¡aun cuando nunca tuvimos a alguien del sumo consejo que nos checara durante todo el verano! Estábamos determinados a hacer lo que el profeta Josué le enseño a su pueblo: "escogeos hoy a quién sirváis; . . .pero yo y mi casa serviremos a Jehová" (Josué 24:15).

ELLOS HAN VISTO EL TERRENO

Yo no era un extraño al trabajo de montaña y de combatir el fuego antes de esta experiencia. Cuando vivimos en la torre como "atalayas" para nuestro distrito teníamos literalmente una visión de millas de amplitud de las condiciones y lugares en donde yo había trabajado en ese distrito durante los dos veranos previos.

Similarmente, los profetas y apóstoles son "los atalayas en la torre" en estos últimos días. Traen consigo a sus asignaciones muchos años de experiencia en los caminos de la Iglesia mundialmente. Ellos han visto el terreno y han caminado los cerros y los valles de la vida en sus responsabilidades como padres, esposos, estudiantes, recién casados, participantes en llamamientos de la Iglesia y profesionales en varias ocupaciones de la vida. Con visión y con la habilidad de de dar dirección y consejo en incontables asuntos que surgen por todo el reino de Dios aquí en la tierra, ellos cumplen su responsabilidad como atalayas de las torres del Señor. Recordamos el consejo del Señor al profeta Amós: "Porque no hará nada Jehová, el Señor, sin que revele su secreto a sus siervos los profetas" (Amós 3:7).

El Señor les dice a estos atalayas en la torre lo que necesitan enseñar y como deben ayudar a preparar a los miembros para afrontar las tormentas y dificultades (véase Doctrina y Convenios 115:16). Ellos pueden ver en la distancia y por lo tanto emitir advertencias y hacer preparaciones aun para aquellos que no han visto las nubes de la tormenta empezar a formarse.

Estos atalayas nos aconsejan a santificar el Día de Reposo, a estudiar las escrituras regularmente, a orar diariamente, a evitar las trampas de la inmoralidad, de honrar a nuestros padres, a ser respetuosos con nuestros cónyuges e hijos, servir a Dios y a la humanidad, guardar nuestros convenios, seguir el ejemplo de Jesucristo en nuestro diario vivir, y guardar todos los demás mandamientos que nos ayudarán a mantenernos en el camino del evangelio durante estos tiempos conflictivos.

Así como los profetas del Antiguo Testamento guiaron al pueblo del convenio por generaciones en tiempos antiguos, de la misma manera nuestros profetas nos guían durante nuestra jornada mortal en estos últimos días. Agradecemos la oportunidad de acatar a lo que nos dicen esos atalayas en la torre, porque sabemos que al seguir su consejo, estamos siguiendo al Señor. "Mi palabra no pasará, sino que toda será cumplida", nos dice el Salvador "sea por mi propia voz o por la voz de mis siervos, es lo mismo" (Doctrina y Convenios 1:38).

Referencias Adicionales: Helamán 5:12; Doctrina y Convenios 50:44; Juan 1:40-42; 3 Nefi 27:5-8; José Smith 2:68,72.

Capítulo 11

DESARROLLA TU FE EN EL SEÑOR

Idea Principal: Nuestra esperanza y salvación se centran en Jesucristo.

Fe en el Señor Jesucristo es el primer principio del evangelio y la enseñanza fundamental de la Iglesia de Jesucristo de los Santos de los Últimos Días. Centremos nuestra fe en Jesucristo porque Él es:

> "El camino, y la verdad, y la vida; nadie viene al Padre, sino por mí" (Juan 14:6).

Centrar nuestra fe en cualquier otra persona u objeto es privarnos del acceso a la presencia de Dios. El apóstol Pedro enseñó que:

> "No hay otro nombre bajo el cielo, dado a los hombres, en que podamos ser salvos" (Hechos 4:12).

Siendo que ningún hombre puede llegar al Padre sino por Cristo, y siendo que la humanidad no puede salvarse sin Cristo, entonces ¿qué debe hacer el hombre?

El primer paso es creer que Jesucristo es nuestro Salvador personal. Al creer que es nuestro Salvador debemos aceptarlo como nuestro propio Salvador. Existen dos factores que afectan el destino de la humanidad: que hemos de morir y que hemos pecado. Cristo posee el poder de salvación que sobrepasa estos dos factores. El venció la muerte y por lo tanto nosotros la venceremos y viviremos de nuevo. Pagó por nuestros pecados tomando sobre sí el castigo que nosotros tendríamos que soportar si no nos arrepintiéramos. Si nos arrepentimos y caminamos por Sus sendas, no sufriremos como Él sufrió, y se nos invitará a vivir en Su presencia para siempre.

LA FE VERDADERA ES EXPRESADA POR MÁS QUE SIMPLE CREENCIA

Debemos recordar la amonestación que el Salvador dio a aquellos que únicamente creían en Él:

> "No todo el que me dice: Señor, Señor, entrará en el reino de los cielos, sino el que hace la voluntad de mi Padre que está en los cielos" (Mateo 7:21).

La fe es un principio de acción. Las buenas obras que se generan por medio de nuestra fe en acción son esenciales para entrar en el reino de Dios. Considere el testimonio de un apóstol viviente:

> "Fe en el Señor Jesucristo no es algo etéreo, flotando suelto en el aire. La fe no cae sobre nosotros por casualidad o permanece con nosotros por derecho. Es como dicen las escrituras, "la fe es las cosas que se esperan y que no se ven". La fe emite una luz espiritual, y esa luz es discernible. La fe en Jesucristo es un don del cielo que viene cuando escogemos creer y cuando la buscamos y cuando la conservamos. Su fe o crece más fuerte o se hace más débil. La fe es un principio de poder, importante no solo en esta vida sino también en nuestro progreso más allá del velo. Por la gracia de Cristo, algún día seremos salvos por la fe en Su nombre. El futuro de su fe no es por casualidad, sino por elección.

Mis queridos amigos, su fe no se inició al nacer ni terminará con su muerte. La fe es una elección. Fortalezcan su fe y vivan para ser dignos de las palabras de aprobación del Salvador: "Grande es tu fe". Al hacerlo, les prometo que su fe, a través de la gracia de Jesucristo, le permitirá un día permanecer con aquellos que ustedes aman, limpios y puros en la presencia de Dios" (Andersen, Neil L. Conferencia General, *Ensign*, noviembre 2015).

Vayamos a las escrituras para así definir el principio de la fe. Pablo enseñó que:

> "Es, pues, la fe la certeza de lo que se espera, la convicción de lo que no se ve" (Hebreos 11:1).

Agregó que es imposible regresar a la presencia de Dios sin fe, puesto que:

> "el que se acerca a Dios crea que la hay, y que es galardonador de los que la buscan" (Hebreo 11:6).

El profeta Moroni, un escritor del Libro de Mormón, dijo lo siguiente con respecto a la fe:

> "Y ahora yo, Moroni, quisiera hablar algo concerniente a estas cosas. Quisiera mostrar al mundo que la fe es las cosas que se esperan y no se ven; por lo tanto, no contendáis porque no veis, porque no recibís ningún testimonio sino hasta después de la prueba de vuestra fe" (Éter 12:6).

NUESTRAS OBRAS SON EVIDENCIAS DE NUESTRA FE

Si hemos de centrar nuestra fe en Cristo debemos llegar a conocerlo, comprender qué fue lo que Él hizo por nosotros, y entender cuáles son los efectos que Ssu misión tiene o puede tener sobre cada uno de nosotros. Hasta que personalmente comprendamos su singularidad como el Hijo literal de Dios y el poder que posee sobre la muerte y el pecado, no podremos tener suficiente fe en Él. La prueba de nuestra fe viene a través de la búsqueda sincera de la influencia que Jesucristo tiene sobre nuestra vida presente y futura.

El sello verdadero de la fe son las obras, Santiago ilustró que el tener fe en el Señor no es suficiente sin las obras adecuadas:

> "Hermanos míos, ¿de qué aprovechará si alguno dice que tiene fe, y no tiene obras? ¿Podrá la fe salvarle?
>
> Y si un hermano o hermana están desnudos, y tienen necesidad de mantenimiento cada día,
>
> Y alguno de vosotros les dice: Id en paz, calentaos y saciaos, pero no les dais las cosas que son necesarias para el cuerpo, ¿de qué aprovecha?
>
> Así también la fe, si no tiene obras, es muerta en sí misma.
>
> Pero alguno dirá: Tú tienes fe y yo tengo obras. Muéstrame tu fe sin tus obras, y yo te mostraré mi fe por mis obas.

> Tú crees que Dios es uno: bien haces. También los demonios creen, y tiemblan.
>
> ¿Mas quieres saber, hombre vano, que la fe sin obras es muerta?
>
> Vosotros veis, pues, que el hombre es justificado por las obras, y no solamente por la fe.
>
> Porque como el cuerpo sin espíritu está muerto, así también la fe sin obras está muerta" (Santiago 2:14-20).

El evangelista Lucas citó la verdadera doctrina del Señor con respecto a la fe cuando escribió el siguiente relato:

> "¿Por qué me llamáis, Señor, Señor, y no hacéis lo que os digo?" (Lucas 6:46)

De nuevo Santiago nos habla de los que declaran en contraste con los que obran:

> "Pero sed hacedores de la palabra, y no tan solamente oidores , engañándoos a vosotros mismos" (Santiago 1:22).

Aquellos que profesan que la fe sola es suficiente no comprenden ni practican el evangelio en su entera totalidad. Como declaró el Elder Boyd K. Packer, tocan solamente una nota del teclado grande del evangelio:

> "Podemos comparar el evangelio a las teclas de un piano. Un teclado con la selección de notas en la cual uno entrenado puede tocar una variedad de melodías sin límite – una balada para expresar amor, una marcha re-viviente, una melodía para satisfacer cada humor y satisfacer cada situación.
>
> Que miope, es, entonces, escoger una sola tecla y sin fin tocar la monotonía de esta sola tecla, a aun dos o tres notas, cuando el teclado entero de armonías sin límite puede tocarse.
>
> Que decepción, que estando sobre la tierra la plenitud del evangelio, el teclado entero, que muchas iglesias golpeen una sola tecla. La nota en la que ponen énfasis puede ser esencial para la armonía completa de una experiencia religiosa, mas sin embargo, no está todo en ella, no es la plenitud" (Boyd K. Packer, "Enseñad Diligentemente", pág. 42).

El hombre se salvará de la muerte por medio de la resurrección de Cristo tenga o no fe en ese principio. Es un acto de gracia del Dios viviente como dádiva a la humanidad, las obras no alterarán en manera alguna el hecho de la resurrección. ¿A qué resucitará el hombre? ¿Resucitará en la resurrección de los justos o en la de los injustos? Las obras que han sido hechas en obediencia a una fe activa en la plenitud del evangelio serán el factor que decidirá la salvación de cada hombre. Cuando el libro de la vida sea abierto (Apocalipsis 20:12), ¿qué estará registrado en sus páginas? ¿Estarán solamente las palabras del oyente "Señor, Señor"? ¿O estarán registradas en nuestro libro de vida las obras que hemos hecho como hacedores de la palabra y no sólo como oidores?

VIVIR EL EVANGELIO REQUIERE VALENTÍA DE LOS FIELES

Es una tontería que el hombre declare que el simple hecho de supuestamente tomar sobre sí el nombre de Jesucristo y por lo tanto considerarse ya salvo, lo justifique ante Dios sin hacer más esfuerzo. Con sólo estudiar las escrituras nos damos cuenta de que los valientes y fieles de todos los siglos desempeñaban grandes sacrificios como manifestación de su fe. ¿Qué es lo que refina nuestra fe? ¿No lo es acaso sus obras puestas sobre el altar del sacrificio? Notemos de nuevo las palabras del profeta José:

> "Observemos aquí, que una religión que no requiere el sacrificio de todo nunca tendrá el poder suficiente para producir la fe suficiente para vivir y para la salvación" (Lectures on Faith, pág. 58).

Recordemos a tales hombres como Adán, Noé, Abraham, Isaac, Jacob, Isaías, Jeremías, Ezequiel, Daniel, Pedro, Pablo y otros de los apóstoles y profetas quienes literalmente dieron su todo a la causa del evangelio. Es solemne burla ante Dios reclamar que aquellos que sencillamente aclaman el nombre del Señor y profesan creer en ÉL, serán igualmente recompensados como aquellos que dieron su todo a través de sus grandes obras y fe. Que no haya error, las obras se requieren para que los fieles puedan entrar al reino de Dios.

Quizá podamos ilustrar el concepto de la fe muerta, de las obras muertas y de la balanza de la fe con obras como se muestra en los siguientes dibujos:

FE MUERTA

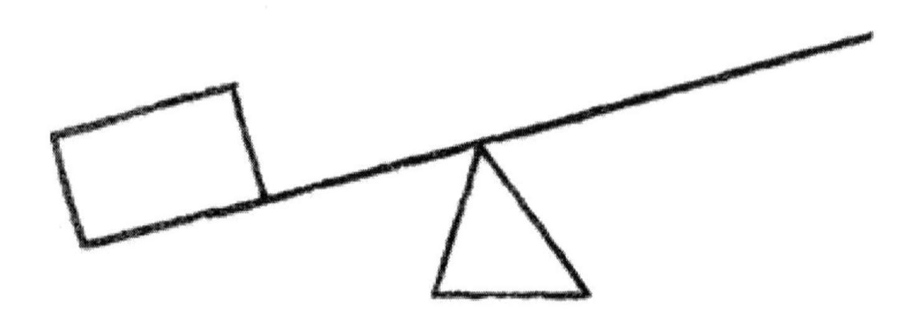

La fe profesada y confesión verbal.

Una vida no balanceada ejemplificada por muchos que profesan ser seguidores de Cristo

OBRAS MUERTAS

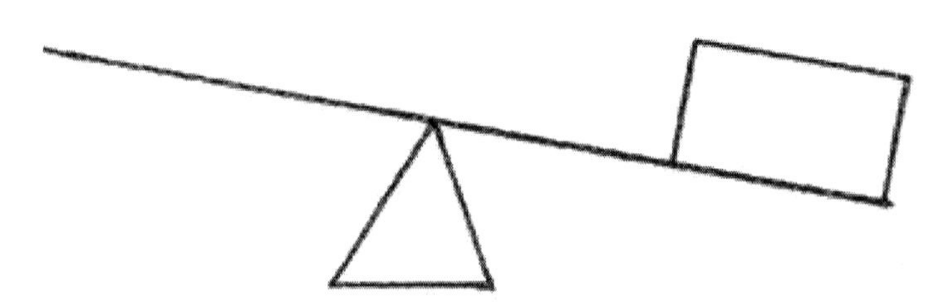

Ha hecho una vida balanceada ejemplificada por los judíos en los tiempos de Jesús y por muchos otros que confían en que "llevar una vida" es lo único que se requiere.

Obediencia a la letra de la ley

LA FE ACTIVA CON OBRAS

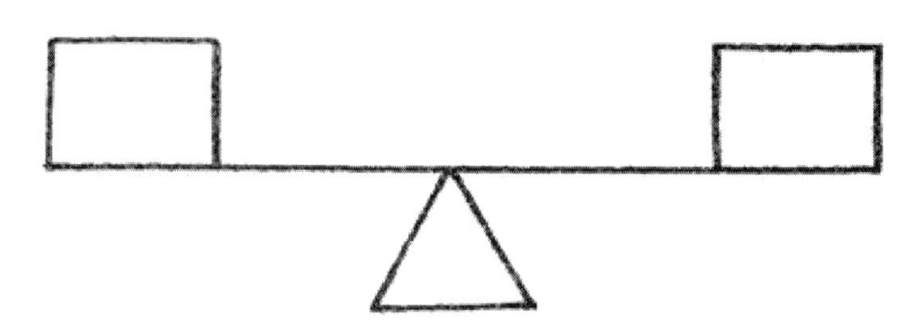

La fe, aceptación de Jesucristo como el Redentor

Obras, obediencia a los requisitos del evangelio. (Un Sacerdocio de Línea Real, Pág. 82-83).

El primer principio del evangelio es la fe, porque requiere que aceptemos al Redentor como nuestro Salvador personal. Al comprender quien es Él, y lo que ha hecho por nosotros, llegaremos a conocer de nuestros pecados y transgresiones, y desearemos arrepentirnos apropiadamente. Después, nuestra fe nos llevará a las aguas del bautismo que se efectuará de la manera apropiada y con la autoridad apropiada, para la remisión de nuestros pecados. Entonces nuestra fe nos llevará a ser receptivos al Espíritu Santo quien agregará a nuestra fe el conocimiento por medio de la revelación que nos es accesible a través de este compañerismo. La fe verdadera en el Señor Jesucristo nos hará actuar y obrar de una manera que estará de acuerdo con los requisitos que Él ha establecido para que podamos entrar a Su reino y estar en Su presencia.

Aprendemos de un profeta de los últimos días lo siguiente:

> "Leemos en Proverbios la admonición, "Examina la senda de tus pies". Al hacerlo, tendremos la fe, aun el deseo, de caminar la senda que caminó Jesús. No tendremos ninguna duda que estamos caminando en el sendero que nuestro Padre desea que sigamos. El ejemplo del Salvador nos provee el marco para todo lo que hacemos, y Sus palabras nos proveen una guía constante. Su sendero nos llevará seguros de regreso a casa. Que ésta pueda ser nuestra bendición, pido en el nombre de Jesucristo, a quien yo amo, a quien yo sirvo y de quien yo testifico,

amén" (Monson, Thomas S., Conferencia General, *Ensign*, noviembre 2014).

LA ORACIÓN ES ESENCIAL PARA LA FE ACTIVA

La oración es la llave que desarrolla la fe. También debemos estudiar las escrituras y llenar nuestras mentes con la palabra de Dios. Así, en el ejercicio de orar y el estudio desarrollaremos suficiente fe para hacer la voluntad de Dios. Mi fe está centrada en Jesucristo y Su poder de salvación. Sé que Él me ayuda a sobrellevar todos los desafíos que la vida presenta. El servicio en el reino de Dios es la llave que muestra nuestra fe por nuestras obras. Tengo un testimonio que las obras son requeridas de los fieles.

Referencias Adicionales: Alma 32; Hebreos 11; Santiago 1:23-27; 2 Pedro 1:5-11.

Capítulo 12

ARREPENTIMIENTO Y BAUTISMO COMO LO ORDENA EL SEÑOR

Idea Principal: El arrepentimiento verdadero de nuestros pecados debe preceder al bautismo para la remisión de pecados y el ingreso a la Iglesia del Señor.

El apóstol Juan ha dicho: "Toda injusticia es pecado" (1 Juan 5:17). Seguramente es evidente que todo hombre ha pecado. Todos hemos errado en pensamiento, palabra y acción. El pecado es la inmundicia del alma. Donde moran Dios y Cristo no hay inmundicia. ¿Cómo entonces tendremos la oportunidad de morar con ellos en las eternidades si somos inmundos? Las escrituras nos dicen:

> "Y te vuelvo a decir que no puede salvarlos en sus pecados; porque yo no puedo negar su palabra, y él ha dicho que ninguna cosa impura puede heredar el reino del cielo; por tanto, ¿cómo podéis ser salvos a menos que heredéis el reino de los cielos? Así que n podéis ser salvos en vuestros pecados" (Libro de Mormón, Alma 11:37).

La doctrina del arrepentimiento llega a ser un ingrediente esencial en el plan del evangelio. La oportunidad de arrepentirnos es una de las bendiciones más preciosas disponibles al hombre.

Cuando empieza uno a entender la misión de Jesucristo y la relación que tenemos con Él, empieza a haber en nosotros un sentimiento de urgencia en cuanto al arrepentimiento de nuestros pecados. Como toda persona responsable ha transgredido las leyes de Dios, el arrepentimiento apropiado nos provee la manera por la cual podemos librarnos de la mancha del pecado.

El pecado puede ser de acciones de comisión u omisión en contra de las leyes de Dios. Aquellos que no conocen las leyes de Dios, los niños pequeños por ejemplo, no pueden pecar. No son responsables por el conocimiento que es necesario para violar una ley. Pero aquel que sí es responsable del conocimiento y quebranta las leyes de conducta ha pecado.

Cuando profanamos las leyes de Dios nos volvemos siervos de aquel que es el maestro del pecado, Satanás. Es su trampa en la cual nos enredamos cuando nos convertimos en lo que Juan llamó, "el esclavo del pecado" (Juan 8:34). El plan de Satanás es tentar al hombre a menospreciar las leyes sagradas de Dios y así frustrar el plan de salvación creado por Jesucristo a favor del hombre.

CRISTO PAGÓ POR LOS PECADOS DE TODOS AQUELLOS QUE SE ARREPIENTEN

Cristo fue exento del pecado. Pedro afirma que Él "No pecó" (1 Pedro 2:22). Fue tentado como lo somos nosotros, pero de acuerdo con Pablo, Él era "sin pecado" (Hebreos 4:15). Por lo tanto Cristo es el gran ejemplo. Él es sin mancha o deshonra y como tal fue el sacrificio perfecto por los pecados del mundo. Podremos participar de su sacrificio sagrado y puro, y ser limpios de nuestras transgresiones, si dejamos a un lado nuestros pecados para confesarlos de la manera apropiada para después abandonarlos. Al librarnos de los efectos del pecado, nos convertimos en seres dignos de la presencia de Dios. Sin embargo, debemos comprender que nos es imposible pagar por completo nuestra desobediencia.

No importa que tan obedientes nos volvamos, no podremos superar los efectos del pecado. Además de esto necesitamos el poder completo del sacrificio de Jesucristo en nuestras vidas. El pagó el gran y terrible precio por nuestros pecados en Getsemaní. Él es la única persona que ha nacido en este mundo con el poder de la expiación por los pecados de la humanidad. A Él le fue posible expiar nuestros pecados en virtud del poder de

Dios que estaba en Él. Él poseía este poder porque era literalmente el Hijo de Dios.

El sacrificio expiatorio de Cristo tiene un efecto completo en nuestras vidas al reconocer nosotros lo que Él ha hecho por nosotros y si nos arrepentimos de la manera apropiada de los pecados que hemos cometido. El pecado nos separa de Dios, sin embargo, Cristo es nuestro gran intermediario. Su sufrimiento fue lo suficiente para reivindicarnos de la separación eterna de Dios. No obstante, existe la condición de que cumplamos con las demandas que exigen las leyes de Dios. Cuando estas leyes son quebrantadas, el arrepentimiento y el llevar una vida recta pagan el precio requerido para repararlas.

El Elder A. Theodore Tuttle nos ha explicado el principio del arrepentimiento en lo siguiente:

> "Tal vez podemos entender este principio mejor si lo comparamos a algo que ya sabemos. El arrepentimiento es como el jabón, lava los pecados de la vida. Debe usarse tan frecuentemente como sea necesario. Sin embargo, debemos tener en mente que el mal uso –es decir, el no limpiarse completamente y sólo con un esfuerzo a medias – puede resultar en un color gris. De otra manera, si lo usamos bien, el jabón de la vida limpia enteramente, completamente y permanentemente (A. Theodore Tuttle, "Improvement Era", noviembre 1968, pág 65).

EL ARREPENTIMIENTO APROPIADO TRAE CONSIGO EL PERDÓN DE DIOS

El Señor nos ha dado una enseñanza muy clara con respecto al perdón que produce el arrepentimiento, cuando dijo:

> "He aquí, quien se ha arrepentido de sus pecados es perdonado; y, yo, el Señor, no los recuerdo más (Doctrina y Convenios 58:42).

Esta declaración debe animarnos a experimentar los frutos del arrepentimiento sincero. La sinceridad del arrepentimiento se mide por la siguiente declaración del Señor:

> "Por esto podréis saber si un hombre se arrepiente de sus pecados: He aquí, los confesará y los abandonará" (Doctrina y Convenios 58:43).

BUSCANDO LAS BENDICIONES DEL ARREPENTIMIENTO

Nos hemos arrepentido por completo cuando nos sujetamos al siguiente proceso: Primero, debemos reconocer la Ley Divina y comprender que hemos quebrado una ley. Una fe profunda y perseverante en Dios y Su Hijo, Jesucristo, es pre-requisito al arrepentimiento. Deseamos arrepentirnos porque hemos ofendido a Dios y porque no hemos cabalmente reconocido los sufrimientos que padeció Jesucristo por nosotros. Segundo, nos debe remorder la conciencia. Nuestro remordimiento debe ser una reflexión seria y profunda de nuestra culpabilidad.

Pablo describe este genuino pesar de conciencia como "contristaos según Dios" (2 Corintios 7:9). Nuestra angustia no debe ser causada por consecuencias mundanas, como el ser sorprendidos en el acto, ser avergonzados ante nuestras amistades, o sufrir por la humillación de nuestra persona. Esta angustia debe venir por nuestro remordimiento de haber ofendido a Dios y a Cristo. Tercero, debemos confesar nuestros pecados. No debemos posponer nuestro arrepentimiento. Si omitimos el arrepentimiento sabiendo que hemos ofendido a Dios, nos estaremos privando del beneficio completo de la expiación de Cristo. El profeta Amulek nos advirtió en contra de esta negligencia diciendo:

> "Porque he aquí, esta vida es cuando el hombre debe prepararse para comparecer ante Dios; sí, el día de esta vida es el día en que el hombre debe ejecutar su obra" (Alma 34:32).

Cuarto, debemos abstenernos del pecado en el futuro. La verdadera prueba del arrepentimiento del hombre es si abandona sus modos perniciosos para reemplazar lo malo por lo bueno. Quinto, debemos restituir la ley quebrantada. Si hemos mentido, debemos admitirlo. Si hurtamos, debemos devolver lo hurtado a su verdadero dueño. Si esto nos es imposible, le debemos regresar la medida exacta de nuestra deuda. Si hemos calumniado a alguien, debemos admitir nuestra maldad y restituir nuestra obra fraudulenta hasta donde sea posible. Si somos deshonestos debemos volvernos honestos. Si somos, en las palabras de Pablo:

> "fornicarios, idólatras, adúlteros, afeminados, los que abusan de ellos mismos, ladrones, avaros, borrachos, maldicientes o estafadores" (1 Corintios 6:9-10).

necesitamos arrepentirnos y abandonar estos pecados. Debemos reemplazar la maldad con conducta y obras positivas.

Una de las señales de la Iglesia verdadera es que clamará arrepentimiento a todo hombre tal como lo hicieron los profetas de la antigüedad. El pecado se reconocerá por lo que es y no se le excusará.

EL ARREPENTIMIENTO TRAE CAMBIOS PODEROSOS AL CORAZÓN DE UNO

Es mi convicción que el arrepentimiento apropiado resulta en grandes efectos. A través del arrepentimiento adecuado cambian las vidas. Hombres y mujeres actúan y viven como lo que verdaderamente son, hijos de Dios. Sus vidas manifiestan buenas obras y la felicidad verdadera les pertenece. Sé que el arrepentimiento nos lleva al Señor y que deseamos hacer Su voluntad al participar completamente del espíritu y en las obras del arrepentimiento.

Al ejercer la fe adecuada en Jesucristo, nos nace el deseo de arrepentirnos y de poner nuestra vida en armonía con la voluntad de Dios. ¿Qué sucede después? ¿Bastará con sólo creer en Jesucristo, en el sacrificio de la expiación, y el sentirnos apenados por nuestros pecados? No. Debemos cumplir con otros requisitos para poder entrar al reino de Dios.

EL ARREPENTIMIENTO NOS LLEVA A LA ACCIÓN – El BAUTISMO

No les sorprenda el hecho de que se le requiera a todo aquel que aspira llegar al reino de Dios entrar en ciertos convenios y por lo mismo ligarse a ciertas obligaciones. Cualquiera que entra en un contrato con otra persona para así beneficiarse de sus servicios, acuerda llevar a cabo su parte del trato cumpliendo con las promesas específicas que hizo. Lo mismo se espera de aquellos que se han separado del mundo para entrar al redil de Jesucristo. Si le hemos de seguir lo tendremos que hacer de acuerdo con sus leyes y no con las de los hombres.

Él instruyó a los apóstoles de su tiempo que:

> "Id por el mundo y predicad el evangelio a toda criatura. El que creyere y fuere bautizado, será salvo; más el que no creyere, será condenado" (Marcos 16:15-16).

El Salvador mismo, aunque sin pecado, nos mostró el camino a través del ejemplo a la ordenanza del bautismo:

> "Entonces Jesús vino de Galilea a Juan al Jordán, para ser bautizado por él" (Mateo 3:13).

Así vemos como Cristo cumplió con la ley celestial, que a todos les es requerido el bautismo para entrar a la presencia de Dios y para llegar a ser miembros del reino de Dios.

La naturaleza de la ordenanza del bautismo tiene dos propósitos: Primero, nos califica para entrar al reino de Dios, Segundo, es esencial para la remisión de nuestros pecados. La persona que realmente está convertida al evangelio de Jesucristo y sinceramente arrepentida de sus pecados deseará mostrar su cometido a Cristo por medio del bautismo, el hecho de humillarse ante Dios, y pedir ser bautizados dentro de la Iglesia verdadera por alguien que posee la autoridad, es esencial a fin de cumplir con los requisitos que se exigen para lograr la entrada a la puerta que conduce a la vida eterna. El profeta Nefi describe las consecuencias de aquellos que se han bautizado:

> "Y entonces os halláis en este estrecho y angosto camino que conduce a la vida eterna; sí, habéis entrado por la puerta; habéis obrado de acuerdo con los mandamientos del Padre y del Hijo" (Libro de Mormón, 2 Nefi 31:18).

EL BAUTISMO ES SIMBÓLICO DE LA MUERTE Y RESURRECCIÓN DE CRISTO

La ordenanza del bautismo es simbólica de la muerte y la resurrección del Salvador. Así vemos la necesidad del bautismo por inmersión en el agua (simbólicamente sepultados en el agua) para después salir de ella como criaturas nuevas y limpias. Se sale de la sepultura a semejanza de la resurrección de Cristo. Entonces nace uno nuevamente del agua.

Cuando una persona se bautiza, es uno de los días más gloriosos en su vida. Se convierte en una persona nueva ante la vista de Dios. Sin embargo, no todo está hecho. Otros convenios y otras ordenanzas le serán requeridos al empezar su jornada renovada por la vida.

EL BAUTISMO SE DEBE LLEVAR A CABO POR LA AUTORIDAD APROPIADA

La ordenanza del bautismo requiere un administrador autorizado. Jesús buscó a Juan el Bautista, un administrador autorizado, para la ordenanza del bautismo. Aun en estos días el Salvador no reconoce una ordenanza no autorizada. Él le dirá a aquellos que se autorizan a sí mismos, "nunca os conocí" (Mateo 7:23). La autoridad para bautizar en el nombre de Jesucristo está sobre la tierra hoy día. Está dentro de los administradores legales de La Iglesia de Jesucristo de los Santos de los Últimos Días.

Todo hombre que posee el sacerdocio autorizado de Dios puede trazar su linaje de esta autoridad directamente a Jesucristo. Sin esta autoridad ningún bautismo es válido dentro del reino de Dios. Un hombre se puede bautizar dentro de cien iglesias de cien maneras diferentes y todas serán nulas y sin valor sin la autoridad apropiada.

EL BAUTISMO ES PARA PERSONAS RESPONSABLES

Existe otra doctrina del bautismo que se les debe compartir en este tiempo. La revelación moderna ha establecido una enseñanza clara y sagrada con respecto al bautismo para aquellos que son responsables. Todas las madres, los padres, hijos e hijas, hermanos y hermanas, abuelos y abuelas deben prestar oído al siguiente consejo:

> "Nadie puede ser recibido en la iglesia de Cristo a no ser que haya llegado a la edad de responsabilidad ante Dios, y sea capaz de arrepentirse" (Doctrina Convenios 20:71).

LOS NIÑOS NO SON RESPONSABLES DEL ASÍ LLAMADO PECADO ORIGINAL

¿Penetra vuestra alma esa doctrina? ¿Podéis captar brevemente la misericordia de nuestro Padre Celestial para con los niños a quienes no se les administró esta ordenanza? ¿Cuál es la edad de la responsabilidad? Es cuando el niño cumple los ocho años de edad (Doctrina y Convenios 68:27). ¡Las escrituras declaran que los niños pequeños no pueden pecar! Dice el Señor:

> "Los niños pequeños son redimidos desde la fundación del mundo, mediante mi Unigénito. Por tanto, no pueden pecar,

> porque no le es dado poder a Satanás para tentar a los niños pequeños, sino hasta cuando empiezan a ser responsables ante mí" (Doctrina y Convenios 29:46-47).

Los niños son libres del pecado al nacer. Si mueren antes de llegar a la edad de responsabilidad regresarán a la presencia de nuestro bondadoso y amoroso Padre Celestial.

El profeta Mormón enseñó:

> "Y el que diga que los niños pequeños necesitan el bautismo niega las misericordias de Cristo y desprecia su expiación y el poder de su redención (Moroni 8:20).

Se establece, entonces, que el arrepentimiento y el bautismo son requeridos de aquellos que son responsables. ¿Cuál será su cometido? Mientras leen estas páginas, ciertamente comprenderán que deben ser responsables por su vida. ¿Será su bautismo aceptado por el Señor? El bautismo a la manera del Señor y efectuado por sus siervos autorizados les traerá la felicidad verdadera.

Jamás he dudado de mi decisión de unirme a la Iglesia del Señor. Sé que la ordenanza del bautismo en esta Iglesia es efectuada a través de la autoridad apropiada y que sigue el modelo del bautismo de Jesucristo.

Referencias Adicionales: 1 Juan 3:4; Santiago 4:17; Proverbios 28:13, 1 Juan 1:8-9; Alma 34:33-34; Juan 3:3-5; 3 Nefi 11:33, 38; Romanos 6:4-5; Doctrina y Convenios 13 y 20:37, 20:73-74; Moroni 8:8-9.

Capítulo 13

EL DON DEL ESPÍRITU SANTO – VOLVIÉNDONOS CRISTIANOS

Idea Principal: El don del Espíritu Santo se puede conferir por medio de la autoridad apropiada a aquellos que califican para recibirlo a través de las aguas del bautismo.

Previamente hablamos sobre el bautismo por inmersión en el agua. Es apropiado ahora hablar acerca del segundo principio del bautismo, el de nacer del espíritu. Jesús habló a Nicodemo diciendo:

> " . . . el que no naciere del agua y del Espíritu, no puede entrar en el reino de Dios" (Juan 3:5).

¿Cómo puede nacer uno del espíritu?

Cuando uno se bautiza por agua, uno califica para entrar al reino de Dios. Por virtud de esta calificación los requisitos son satisfechos para poder recibir la ayuda especial de uno de los miembros de la Trinidad. Esta ayuda e inspiración provienen del Espíritu Santo. Después del bautismo por inmersión en el agua, se le confirma a la persona como miembro de la Iglesia de Jesucristo de los Santos de los Últimos Días y se le da el don del Espíritu Santo por medio de la imposición de manos. Este es el bautismo de fuego y del Espíritu Santo.

El personaje del Espíritu Santo, como miembro de la Trinidad, puede estar únicamente en un solo lugar al mismo tiempo. No obstante, su poder e influencia se pueden manifestar en más de un lugar al mismo tiempo. Recibir el don del Espíritu Santo nos concede ayuda especial, inspiración, y poder del Espíritu Santo. Este privilegio viene a personas como don de Dios por obedecerlo.

EL DON EL ESPÍRITU SANTO ES ÚNICO

La mayor diferencia entre la Iglesia de Jesucristo de los Santos de los Últimos Días y las demás iglesias es que la Iglesia de Jesucristo posee la autoridad de conferir el don del Espíritu Santo sobre sus miembros, se le otorga este don solamente a los miembros bautizados de la iglesia verdadera. Todo otro caso de la, así llamada, imposición de manos para el recibimiento de este don no es autorizado, es nulo y sin valor. La casa del Señor es una casa de orden. Por consiguiente, es razonable que donde se encuentra el sacerdocio se encuentra también el bautismo verdadero. Con certeza después del bautismo ha de seguir el don del Espíritu Santo por la imposición de manos.

El Espíritu Santo puede reposar sobre una persona en ocasiones especiales antes de su bautismo. Es "por el poder del Espíritu Santo" (Moroni 10:5) que los miembros llegan a un estado de preparación para unirse a esta Iglesia.

Mientras que el que no es miembro estudia y ora acerca de las verdades del evangelio restaurado, gana un testimonio de la veracidad del Libro de Mormón, y de José Smith como profeta de Dios. Gana la seguridad de que la Iglesia de Jesucristo ha sido restaurada y que la dirigen profetas vivientes hoy en día. Puede decir, que sabe que estas cosas son verdaderas porque el poder del Espíritu Santo se las testifica a su alma con ardor. Aunque por lo pronto no posee el don del Espíritu Santo. El testimonio que recibe hasta este punto ha sido para guiarlo a la Iglesia verdadera. Si se arrepiente y se une a la Iglesia y reino de Dios, podrá entonces recibir el don del Espíritu Santo. Si no se arrepiente, ni se une a la Iglesia verdadera, ha violado los impulsos del Espíritu Santo a que se uniera. Se expone al peligro de no volver a recibir testimonios futuros de esta fuente divina.

LOS IMPULSOS DEL ESPÍRITU SANTO SON REVELACIONES

Cualquier impulso, influencia, guía, o inspiración del don del Espíritu Santo es por necesidad una revelación personal para el que lo recibe. La influencia que emana de la presencia de este miembro de la Trinidad es pura verdad.

José Smith enseñó que:

> "ningún hombre puede recibir el Espíritu Santo sin recibir revelaciones" (Enseñanzas de José Smith, pág 328).

Se puede depender del Espíritu Santo a que nos impulse a las obras justas. Se le debe obedecer para adquirir paz y protección. Es un testigo absoluto de las verdades divinas del evangelio restaurado.

Es este don de revelación que les permite a los fieles santos gozar de paz de conciencia en medio del disturbio del mundo. Es la posesión de este precioso don lo que da fuerza a los miembros en los días de prueba.

Por el dulce y sublime poder del Espíritu Santo al hombre mortal se le permite alcanzar los dominios de la santidad. Conocimiento le llega a ser accesible al receptor sincero de este don sagrado que no está disponible de ninguna otra manera. Todo lo escrito en los libros de los hombres no puede penetrar con tanto ardor el alma del hombre como unos cuantos momentos de certidumbre enviada del cielo o del testimonio del consolador.

Al prepararnos para recibir el susurro del Espíritu Santo, nos aproximamos a una reserva de verdad que es eterna y abundante. Llega uno a conocer en verdad la voluntad del Señor. Esto le es sumamente agradable a Él. Él ha revelado lo siguiente en cuanto a esto:

> "Porque así dice el Señor: Yo, el Señor, soy misericordioso y benigno para con los que me temen, y me deleito en honrar a los que me sirven en justicia y en verdad hasta el fin.
>
> Grande será su galardón, y eterna será su gloria.
>
> Y a ellos revelaré todos los misterios, sí, todos los misterios ocultos de mi reino desde los días antiguos, y por siglos futuros, les haré saber la buena disposición de mi voluntad tocante a todas las cosas pertenecientes a mi reino" (Doctrina y Convenios 76:5-7).

Es por medio del don del Espíritu Santo que llegamos a saber quién es Dios en realidad. He llegado a comprender por los susurros del Espíritu que dependo completamente de Jesucristo para mi salvación. Es a través de los susurros de este sagrado don que somos impulsados a demostrar la fe en Jesucristo por las obras. Es por medio del don del Espíritu Santo que experimentamos paz en cuanto a nuestro curso en esta vida. Es el don del

Espíritu Santo el que nos impulsa a servir a nuestro prójimo. Es la influencia del Consolador la que nos muestra el significado de las escrituras.

"¿Todavía está aquí?"

Existe un plan divino; se le llama el plan de nuestro Padre Celestial[1]

Creemos en Dios. Sabemos que Él vive y que podemos tener fe en Él. Las escrituras testifican que somos hijos de Dios, Su literal progenie espiritual[2]. Vivíamos con Él antes de venir a esta tierra; somos creados a Su imagen y Él es nuestro Padre Celestial, por consiguiente, todos somos hermanos.

En virtud del amor que nuestro Padre Celestial tiene por nosotros, ha preparado un plan para el tiempo que vivamos aquí en la tierra. Con respecto a este plan maravilloso, recuerdo mis primeras experiencias antes de unirme a la Iglesia, mientras daba mis primeros pasos en el aprendizaje del Evangelio restaurado. Llegué a familiarizarme con las Escrituras de los últimos días que enseñan sobre la importancia de nuestra capacitación pre-terrenal en el mundo de los espíritus y que señalan que recibimos allí muchas lecciones en preparación para nuestra estadía aquí en la tierra[3]. De las Escrituras y de los profetas vivientes he aprendido que esta vida es el tiempo en el que debemos prepararnos para comparecer ante Dios y un día disfrutar con Él de la vida eterna[4]. El profeta Jacob, al referirse a este plan eterno, exclamó:"¡Oh cuán grande es el plan de nuestro Dios!"[5] Sé que Dios vive y que desea ayudarnos a regresar a vivir con Él.

El gran plan de Dios nos proporcionó un Salvador. Como todas las personas responsables pecan y deben experimentar la muerte al final de su vida terrenal, Dios envió a Jesucristo para cumplir el plan al ayudarnos a vencer el pecado y la muerte. Jesucristo es nuestro Salvador y Redentor; mediante Su sacrificio expiatorio, que realizó por cada uno de nosotros, Él nos ayuda a vencer el pecado por medio del arrepentimiento y del bautismo. Por medio de Su resurrección, hace posible que todos venzamos la muerte y la sepultura. Tenemos la fe para seguir a Jesús y llegar a ser más como Él. ¡Cuánto amamos a nuestro amigo, el Señor Jesucristo, el único "nombre dado debajo del cielo . . .mediante el cual el hombre puede ser salvo!"[6] Sé que Jesús nos salva de los efectos del pecado y de la muerte.

Agradecemos a Dios el que revelara Su plan y la misión de Jesús por medio de Sus testigos especiales: los profetas y los apóstoles. Dios da a esos testigos la autoridad para actuar en Su nombre. Sus testimonios de las verdades del Evangelio están escritos en libros sagrados llamados Escrituras. Si las personas escuchan y leen esas enseñanzas de los profetas, pueden saber que son verdaderas mediante el poder del Espíritu Santo.

Hace casi 28 años, tuve el deseo de asistir a una conferencia general de la Iglesia y manejé 14 horas hasta Salt Lake City para hacerlo. A las 8:00 de la mañana, cuando entré a la manzana del templo, la fila de personas que estaban esperando para entrar por la puerta número 10 cruzaba toda la manzana y llegaba hasta la mitad de la parte sur del Salón de Asambleas. Me encontraba a unos 100 metros de mi meta. El acomodador avisó que el tabernáculo estaba lleno. La gente comenzó a salirse de la fila y yo seguí avanzando poco a poco.

Faltaban cinco minutos para las diez y yo era el único que se encontraba enfrente de la puerta que había escogido. Ésta se abrió y el acomodador dijo: "¿Todavía está aquí?" Volvió a cerrar la puerta y a mí se me cayó el alma a los pies. Cuando a las 10:00 en punto el coro comenzó a cantar el himno de apertura, la puerta se abrió otra vez y el acomodador me hizo la señal para que entrara. Me colocó en un medio asiento y detrás de una columna, ¡pero qué importaba! Ese día especial me fue posible sostener a los líderes escogidos del Señor y escuchar su consejo, de la misma forma en que lo hemos hecho esta tarde.

En la actualidad, o sea en los últimos días, Dios ha continuado siguiendo el mismo modelo para revelar la verdad. Seleccionó a un joven llamado José Smith para darle a conocer el plan eterno de salvación. José se encontraba confuso acerca de las diferentes religiones que existían en su comunidad, pero las Escrituras lo llevaron a preguntarle a Dios qué debía hacer[7]. En respuesta a su oración, Dios el Padre y Jesucristo se le aparecieron[8]. Por medio de esa y de otras experiencias, José Smith fue llamado para ser profeta, al igual que Moisés y otros profetas bíblicos[9]. En virtud de que José vio y habló con el Salvador, s obra habría de restaurar la verdad acerca el gran plan de Dios y de la misión divina de nuestro Señor. Su obra habría de restaurar la verdad acerca del gran plan de Dios y de la misión divina de nuestro Señor. Sé que José Smith es un profeta de Dios.

El profeta José recibió autoridad para enseñar el Evangelio y sacar a luz Escrituras adicionales. Se le encomendó la tarea de traducir escritos de profetas antiguos del Libro de Mormón, otro Testamento de Jesucristo.

Los profetas del Libro de Mormón sabían acerca del plan de salvación y de la sagrada misión de Jesucristo. En este libo sagrado está registrada la aparición de Cristo resucitado al antiguo pueblo de las Américas [10]. Él les enseñó Su Evangelio y estableció Su Iglesia entre ellos. Sé que el Libro de Mormón es otro testamento de la divinidad de Jesucristo.

Dios ha prometido que el Espíritu Santo testificará a cada uno de nosotros esas verdades sagradas que se han restaurado y de que José Smith fue llamado por Dios para ser un testigo especial de Cristo y de Su Evangelio. Por medio del poder del Espíritu Santo podemos llegar a conocer la verdad de todas las cosas que Dios ha revelado[11].

Millones de conversos de la Iglesia aceptaron inicialmente las verdades que proclamaron nuestros misioneros en la primera charla; más tarde, fueron receptivos a todas las charlas que ellos les enseñaron. Se les invitó a ser bautizados y confirmados, a ser " . . .conciudadanos de los santos . . .[12], y a seguir adelante por el sendero del Evangelio hacia los sagrados convenios adicionales que se hacen en el templo.

Un matrimonio con cuatro niños, vecinos de una familia Santo de los Últimos Días, aceptó invitaciones para realizar juntos actividades basadas en el Evangelio. Después de la primera charla misional, el padre le preguntó a su amigo vecino miembro de la Iglesia: "¿Sería posible que nos bautizara el día de fin de año? Quisiéramos comenzar el nuevo año como es debido".

A un joven adulto se le vio en los alrededores del Instituto de Religión y se le preguntó si su esposo y sus hijos estarían juntos por la eternidad. Su respuesta fue "Si, lo estaremos, ¿no?". Pocas semanas después la madre, el esposo, y los dos hijos mayores se bautizaron, porque las respuestas a los interrogantes de la vida se encuentran en ésta, la verdadera Iglesia de Jesucristo.

A un padre, que no era miembro de la Iglesia, pero que tenía un hijo misionero, se le preguntó: "¿Se bautizará en el día del padre?". Y fue bautizado, ocasión a la que asistieron cuatro ex obispos de su familia.

El poder del Espíritu es lo que convence a los investigadores a orar acerca de nuestro mensaje, a asistir a la Iglesia, a leer el Libro de Mormón, a fijar citas para recibir más charlas, a bautizarse en la Iglesia del Señor y a seguir siendo "nutridos por la buena palabra de Dios[13]. Invitamos a todos a venir a Cristo por la puerta de la fe, del arrepentimiento, del bautismo y del don del Espíritu Santo. Esa es la puerta que conduce a la vida eterna. El Espíritu Santo nos ayudará a todos a permanecer en el sendero que conduce a la presencia de Dios.

La inspiración del Espíritu Santo también nos guiará a otras personas que buscan el Evangelio verdadero. El Señor ha dicho: . . .yo estaré contigo; y sea cual fuere el lugar donde proclames mi nombre, te será abierta una puerta eficaz para que reciban mi palabra"[14].

Hace algunos años fui a la Manzana del Templo de Salt Lake City para encontrarme con un conocido de los misioneros. La persona no asistió a la cita. Yo les dije a los misioneros: "El Señor proporcionará a alguien para que le enseñemos". En menos de 2 o 3 minutos, dos hombres entraron por la puerta del Centro de Visitantes Norte y se dirigieron hacia nosotros. Ellos hablaban español, ¡pero nosotros no! Les aseguramos de la mejor manera que nos fue posible que alguien iría a ayudarles. Después de unos momentos, las únicas misioneras que hablaban español de toda la misión llegaron al centro de visitantes porque habían sentido la impresión de que debían ir allí esa mañana.

Durante varias semanas se enseñaron las charlas misionales a esos hombres, y pidieron ser bautizados. El Señor fue fiel a Su palabra, y se abrió "una puerta eficaz" en el momento preciso en que se necesitaba para que tuviera lugar esa hermosa experiencia.

Invitamos a todos los que se hayan bautizado y quizá se hayan alejado del Señor a volver y renovar Sus convenios con Él. Junto con Jesús, decimos a todo Israel que venga[15]. Vengan de nuevo a las verdades y ordenanzas de la vida eterna.

Antes de convertirme a la Iglesia, le pregunté a Dios, el Eterno Padre, en ferviente oración, sobre las verdades de la restauración. Ahora sé, sí, como lo supe ese día, en ese momento hace 37 años, por el poder del Espíritu Santo, que los principios y doctrinas de la restauración del Evangelio son verdaderas. Dios vive. Jesús es el Cristo. José Smith fue el profeta de la restauración del Evangelio verdadero. El Libro de Mormón es un registro de santos profetas y otro testamento del Cristo viviente que está a la cabeza de esta Iglesia. El presidente Gordon B. Hinckley es el profeta del Señor para nuestra época. Él y otros 14 apóstoles son testigos especiales de Cristo en la única Iglesia verdadera sobre la tierra. Es mi oración que todos podamos responder a la pregunta: "¿Todavía está aquí?" y entremos por la puerta apropiada para recibir todas las bendiciones del Evangelio, ahora y siempre.

Sé por el poder del Espíritu Santo que esta Iglesia, La Iglesia de Jesucristo de los Santos de los Últimos Días, es verdadera. Yo sé que Dios vive y que Su Hijo, Jesucristo, vive y dirige esta Iglesia. Sé que con un testimonio aun más poderoso que simples palabras que Dios revela Su voluntad al hombre hoy en día a través de sus profetas vivientes. Sé con una certeza más clara que la vista que los susurros del Espíritu son verdaderos y que se deben buscar día y noche.

Referencias Adicionales: Hechos 19:1-6, Doctrina y Convenios 76:5-10, 1 Corintios 2:9-14.

1. "El Plan de Nuestro Padre Celestial," Disc.1, *Uniform System for Teaching the Gospel,* 1986.
2. Véase Hechos 17:28-29.
3. Véase Doctrina y Convenios 138:56.
4. Véase Alma 12:24.
5. Véase 2 Nefi 9:13.
6. 2 Nefi 25:20
7. Véase JS-H 1:5-16
8. Véase JS-H1:17
9. Véase Doctrina y Convenios 28:2
10. Véase 3 Nefi 11.
11. Véase Moroni 10:5
12. Efesios 2:19; véase también Efesios 2:20.
13. Moroni 6:4.
14. Doctrina y Convenios 112:19
15. "Ya Regocijemos", Himno No. 3.

Capítulo 14

ADÁN Y EVA – GRACIAS POR LA MORTALIDAD

Idea Principal: Por medio del plan de Dios, Adán y Eva hicieron posible que los hijos espirituales de Dios obtuvieran cuerpos mortales.

¿Qué es la mortalidad? ¿Qué piensan de este comentario? "Por motivo de que Adán cayó, nosotros existimos" (Moisés 6:48). ¿Qué papel desempeñaron Adán y Eva en el plan de la vida? Si Adán y Eva hubieran permanecido en el jardín, hubiera habido la necesidad de un Salvador? Las Escrituras nos dan las respuestas a estas preguntas.

El mundo en general ha abusado en grande y ha dado mala reputación al hombre Adán y a la mujer Eva. Muchos no comprenden el papel de los primeros padres en la mortalidad. Algunos se suponen que si Adán y Eva no hubieran transgredido el mandamiento de Dios de no participar del fruto del árbol prohibido, que no seríamos sujetos a las tribulaciones y dificultades de la mortalidad. ¡La verdad es que ni estaríamos aquí! La caída de Adán y Eva era necesaria para introducir el plan de salvación al mundo así como la expiación de Cristo nos rescataría del infierno.

Adán no fue un progenitor ignorante ni equivocado de la familia humana. Se le mandó al mundo para introducir la mortalidad a la humanad y para llevar a cabo el plan de vida y salvación que fue diseñado, adoptado, y mandado de la presencia de Dios. En el concilio que hubo en el cielo se les presento el plan de vida a los hijos espirituales de Dios el Padre: un plan que nos permitiría, como hijos espirituales de Dios, de eventualmente venir a la tierra y adquirir un cuerpo mortal.

ADÁN FUE EL PRIMER HOMBRE SOBRE LA TIERRA

Adán fue escogido de entre millares de hijos espirituales de Dios para ser el primer hombre sobre la tierra. El fue escogido por su valentía, para ser el padre de la raza humana. Cuan gran honor fue para él. Junto con Eva su compañera, Adán fue puesto sobre la tierra y se le fue dado el dominio sobre todas las cosas. Adán fue puesto sobre un jardín llamado Edén, y se le mandó cuidarlo. Previamente Dios había puesto pasto, hierbas, árboles frutales, y toda clase de vegetación en el jardín para el uso y disfrute de Adán. Animales, peces, aves, y bestias de toda especie fueron creados por Dios para el uso del hombre.

El primer mandamiento que Dios les dio a Adán y a Eva fue el de "fructificad y multiplicaos; llenad la tierra" (Génesis 1:28). Vemos así que Adán y Eva fueron dados el uno al otro como marido y mujer por Dios. Dios les casó antes de la caída, es obvio que su matrimonio era de naturaleza eterna.

El segundo mandamiento dado a Adán y Eva, de acuerdo con el relato de Génesis, presentaba un conflicto con el primer mandamiento. El segundo mandamiento exigía lo siguiente:

> "De todo árbol del huerto podrás comer; más del árbol de la ciencia del bien y del mal no comerás; porque el día que de él comieres, ciertamente morirás" (Génesis 2:16-17).

ADÁN ELIGIÓ SER MORTAL

Les era imposible obedecer ambos mandamientos. No podían obedecer el primero sin conocimiento, ya que su estado era uno de inocencia. Para poder guardar el primer mandamiento, el segundo forzosamente necesitaba ser quebrantado.

¡Adán y Eva no podían concebir hijos hasta que fuesen seres mortales, y no podían ser seres mortales hasta que no hubieran participado del árbol prohibido!

Vemos que Dios en su sabiduría elaboró un plan por medio del cual Adán caería, "para que los hombres existiesen; y existen los hombres para que tengan gozo" (Libro de Mormón, 2 Nefi 2:25). Adán y Eva no podrían haber tenido gozo si no hubieran participado del fruto del árbol prohibido. ¿Por qué no? El gozo es opuesto a la tristeza, y en su estado de inocencia antes de la caída no les era posible conocer la oposición. Notemos la explicación que nos ofrecen las escrituras de esto:

> "Pues, he aquí, si Adán no hubiese transgredido, no habría caído; sino que habría permanecido en el jardín de Edén. Y todas las cosas que fueron creadas habrían permanecido en el mismo estado en que se hallaban después de ser creadas; y habrían permanecido para siempre, sin tener fin.
>
> Y no hubieran tenido hijos; por consiguiente, habrían permanecido en un estado de inocencia, sin sentir gozo, porque no conocían la miseria; sin hacer lo bueno, porque no conocían el pecado" (Libro de Mormón, 2 Nefi, 2:22-23).

Satanás tentó a Eva a que participara del fruto del conocimiento del bien y el mal. Habiendo participado, sus ojos fueron abiertos. Eso es, sus ojos del conocimiento fueron abiertos. Ahora conocían su predicamento. Había introducido las semillas de la mortalidad en su sistema y de esta manera ganó conocimiento adicional. No podía permanecer con Adán en este estado, y sin embargo, se le había mandado multiplicar y henchir la tierra. Su conclusión: Adán debía volverse igual que ella. Adán viendo que ella había transgredido una de las leyes y por lo tanto no le sería posible permanecer con él ni asistirlo con el cumplimiento de la primera ley, entonces participó del fruto y este punto llegó a ser sujeto a las leyes de la mortalidad.

LA MORTALIDAD SE INICIÓ, SE LOGRÓ LA CAÍDA

Después de este suceso el Señor habló con Adán y Eva en cuanto a la situación en la cual se habían colocado. Trajeron sobre sí mismos dos condiciones serias: Primero, serían echados del jardín. Ya no les sería posible participar de la belleza y de la paz del jardín de Edén. Serían separados de Dios. Segundo, estarían sujetos a la muerte física ya que en sus cuerpos había entrado las semillas de la mortalidad.

El plan de la redención se inició. ¿Quién les salvaría de su estado caído? ¿Quién los redimiría para permitirles volver a la presencia de Dios? ¿Quién les ayudaría a vencer la muerte para que no se encontraran sujetos al sepulcro eternamente? La respuesta se encuentra en la misión pre-ordenada de Jesucristo.

El apóstol Pablo enseñó que:

> "Porque así como en Adán todos mueren, también en Cristo todos serán vivificados" (1Corintios 15:22).

De acuerdo con el plan de Dios, Adán introdujo la mortalidad al mundo, y a través del mismo plan vino el Salvador para vencer el poder de la mortalidad y traernos de nuevo a la presencia de Dios.

LA MORTALIDAD ES UN PRUEBA Y UN PERIODO DE PROBACION

La mortalidad es indispensable para que el hombre realice el propósito para el cual fue creado. Sin la caída no hubiéramos venido a la tierra para obtener nuestros cuerpos mortales y ser probados. No habría manera para que obtuviéramos el conocimiento y la experiencia necesaria para progresar hacia la exaltación. "Otra verdad clave en la Iglesia es que el Padre Celestial creó a Adán y Eva con un propósito noble. Fue su mandato – y subsecuentemente, el mandato de su posteridad – de crear cuerpos mortales para los hijos espirituales de Dios para que pudieran experimentar la mortalidad. Por medio de este proceso, el Padre Celestial envía a Sus hijos espirituales a la tierra para que aprendan y crezcan a través de las experiencias de la vida terrenal. Porque Él ama a Sus hijos, Dios envía mensajeros celestiales y apóstoles para enseñarles acerca del papel central de Jesucristo como nuestro Salvador" (Ballard, M. Russell, Conferencia General, *Ensign,* noviembre 2015). Entre los grandes principios que se nos enseñan por consecuencia de la caída están los del libre albedrío y el de la decisión. Adán escogió caer para que el hombre fuese. Realmente cayó hacia adelante, no hacia atrás, en la eterna naturaleza de existir. Dio un paso significante en el progreso por el camino hacia la vida eterna. Escogió sujetarse a la voluntad del su Padre Celestial y ser el primer padre. Adán no tendría la libertad para convertirse en el gran profeta que se convirtió sino hubiera tomado decisiones.

LA LIBERTAD VERDADERA PROVIENE DE TOMAR DECISIONES CORRECTAS

A menos que existan opuestos y diferencias que ofrezcan alternativas, uno no puede escoger una cosa sobre otra. Si uno no puede escoger, no puede ejercer su albedrío, por lo tanto no es libre. Si no es libre entonces no pueden existir ni premios ni castigos por hechos cometidos en relación a lo que está obrando sobre él. El profeta Lehi nos enseñó acerca de la ley de la oposición en lo siguiente:

> "Porque es preciso que haya una oposición en todas las cosas. Pues de otro modo, mi primer hijo nacido en el desierto, no se podría llevar a efecto la rectitud ni la iniquidad, ni tampoco la santidad ni la miseria, ni el bien ni el mal. De modo que todas las cosas necesariamente serían un solo conjunto; por tanto si fuese un solo cuerpo, habría de permanecer como muerto, no teniendo ni vida ni muerte, ni corrupción ni incorrupción, ni felicidad ni miseria, ni sensibilidad ni insensibilidad.
>
> Y para realizar sus eternos designios en cuanto al objeto del hombre, después que hubo creado a nuestros primeros padres, y los animales del campo, y las aves del cielo, y en fin, todas las cosas que se han creado, era menester una oposición, sí, el fruto prohibido en oposición al árbol de la vida, siendo dulce el uno y amargo el otro.
>
> Por tanto, el Señor Dios le concedió al hombre que obrara por sí mismo. De modo que el hombre no podía actuar por sí mismo, a menos que lo atrajera lo uno o lo otro" (Libro de Mormón, 2 Nefi 2:11, 15-16).

El Presidente José Fielding Smith proporcionó aclaraciones adicionales en cuanto a este principio:

> "Se nos pasa, yo creo, la declaración que ocurre como la tenemos claramente en la versión de Moisés en La Perla de Gran Precio, cuando el Señor le dijo a Adán que podía participar de todo fruto del jardín menos uno. En otras palabras le dijo: 'Si participas del aquel fruto, morirás y si quieres permanecer aquí te prohíbo que comas del fruto. Sin embargo, puedes escoger

por ti mismo . . .si lo quieres comer, allí está'" (José Fielding Smith, Prestar Atención para Vuestro Bien, 1966 pág. 291).

Se les dio a Adán y Eva la manera para actuar de acuerdo con el principio del libre albedrío. No existía ninguna contradicción en los mandamientos que se les dio. El albedrío del hombre fue el sello de la caída. Nuestro albedrío sigue siendo el sello del evangelio de Jesucristo.

Por lo tanto, el así llamado pecado de Adán debe verse bajo la nueva luz de la decisión puesta sobre él por Dios. ¿Iba él a frustrar el plan de Dios no participando del fruto, o lo frustraría por la falta de acción y del conocimiento necesario para concebir los hijos sobre la tierra? No frustró el plan de Dios en absoluto.

ADÁN REALIZÓ SU MISIÓN ADMIRABLEMENTE

Adán realizó el propósito de su creación. Vivió 930 años en la mortalidad y engendró muchos hijos. Somos todos sus descendientes como lo son todos los que han venido de su ascendencia. Su posición en la raza humana es una de honor. Su esposa Eva, fue hija escogida de Dios y será premiada por lo merecido.

Vivieron el evangelio y obedecieron los mandamientos de Dios ganando honor y gloria a su posición como los primeros padres.

Adán y Eva, gracias por la mortalidad. No estaríamos aquí si no hubiesen actuado de acuerdo con el plan divino. En las palabras del Elder Bruce R. McConkie, Adán y Cristo actuaron en compañerismo para realizar el plan de Dios. Él dijo:

> "Adán trajo la mortalidad, Cristo la inmortalidad, Adán trajo la muerte, Cristo la vida. La muerte consiste en la separación del cuerpo y el espíritu y es posible sólo porque la mortalidad se introdujo al mundo por la caída de Adán. La vida inmortal consiste en la reunión inseparable del cuerpo y del espíritu y viene a causa de la expiación de Cristo. Sin la mortalidad y sin Cristo no habría inmortalidad, la misión de ambos son ligados en un plan eterno, el plan del Padre, el plan que da la inmortalidad a todos Sus hijos y les ofrece vida eterna bajo la condición de obediencia a las leyes y ordenanzas del evangelio" (Bruce R. McConkie, Comentario, Vol. II pág. 392-393).

El entender correctamente el papel que Adán y Eva desempeñaron para llevar a cabo el plan de vida, sólo puede iluminaros y gratificarnos. Que los ojos de vuestro entendimiento se abran a nuevas dimensiones. El evangelio restaurado contiene grandes llaves de conocimiento en cuanto al plan de vida y nuestro lugar en él. Estoy agradecido a nuestros primeros padres, Adán y Eva, por haber realizado su asignación de traer la mortalidad a la tierra de acuerdo con el plan divino.

Capítulo 15

¿QUÉ DE LA MUERTE?

Idea Principal: La muerte nos permite avanzar de la mortalidad a la inmortalidad

Quizá las emociones más fuertes y profundas son las que experimentamos cuando nos enfrentamos a la muerte o cuando estamos entre aquellos que han perdido a alguien. El hecho de morir inevitablemente llega a todo mortal. Nos aflige en las tragedias, a través de prolongadas enfermedades, o hasta en el nacimiento. No respeta a nadie. Al igual como la vida es universal, así también lo es su mal entendida compañera.

Ya que la muerte es la última contingencia en el proceso de nuestra vida, necesitamos comprender su propósito. La muerte fue introducida en esta vida por medio de la caída de Adán. Sin embargo, antes de que Adán desempeñara su asignación, Jesucristo ya había sido pre-ordenado para proveernos la manera por la cual pudiéramos superar la muerte. No para que el hombre no tuviese que morir, sino para que no permaneciese sujeto a ella eternamente.

Todo ser mortal debe pasar a través de esta etapa en nuestra existencia eterna. Al participar del fruto del árbol del conocimiento del bien y del mal, Adán y Eva introdujeron la semilla de la terminación de vida en sus cuerpos. Se sujetaron a dos tipos de muerte. Morirían físicamente, es decir, habría una separación de sus cuerpos mortales y de sus espíritus inmortales. También morirían espiritualmente, o sea la separación de la presencia de Dios por transgresión. El hecho de que estuviesen sujetos a aquellas condiciones cumplió con el propósito para el cual Jesucristo fue pre-ordenado a ser el Salvador de la humanidad. Si Adán y Eva no hubieran introducido la mortalidad a la tierra y no hubieran sido separados de la presencia de Dios, no habría habido razón para que el Salvador viniera al mundo.

Las escrituras nos dicen:

> "Porque así como en Adán todos mueren, también en Cristo todos serán vivificados" (1 Corintios 15:22).

SABÍAMOS QUE HABRÍAMOS DE PASAR POR LA MUERTE

Aceptamos la necesidad de la muerte física en nuestro primer estado (en la pre-existencia). Sabíamos que la mortalidad sujetaría nuestros cuerpos a todo tipo de condiciones. Sabíamos que nuestros cuerpos se compondrían de carne, sangre y espíritu. La sangre le daría vida a la carne (Levítico 17:11). Nuestro espíritu es de substancia más refinada, y no requiere sangre para sostener vida. La carne se hizo para estar sujeta a la muerte, a la corrupción, al dolor, a las deformidades y otros padecimientos. A través de este cuerpo mortal seríamos grandemente probados en esta vida. Parte de nuestro libre albedrío es ver si dominamos las tentaciones de la carne y vivimos sujetos a nuestra naturaleza espiritual (Hebreos 12:9).

La hora de morir es dada a toda cosa viva, incluyendo por supuesto a los seres humanos. Comprendimos en la pre-existencia que finalmente seríamos liberados del peso de la mortalidad. Seremos librados de la mortalidad para dar paso a la resurrección e inmortalidad, las cuales seguirán a nuestra experiencia mortal.

Lamentamos la muerte de nuestros seres queridos porque perdemos su compañía temporalmente. Los extrañamos y deseamos estar con ellos. Nuestro amor por aquellos seres queridos es inextinguible, sin embargo, debemos aceptar su partida como parte de la vida. Todos tendremos que pasar por el velo de la muerte para poder experimentar otro aspecto de nuestra naturaleza eterna.

LA MUERTE NOS PERMITE PROGRESAR MÁS ALLÁ DE LA MORTALIDAD

La muerte no es el fin de la vida en absoluto. Nos introduce a otra etapa de nuestra jornada eterna. Nos pasa únicamente de un estado a otro.

Nos libera de nuestra probación mortal. A través de la muerte se lleva a cabo una de las metas en nuestro avance a la inmortalidad.

Debemos entonces pensar de la muerte como la separación temporal del cuerpo y del espíritu. Jesucristo fue separado de Su cuerpo por tres días solamente. Resucitó al poco tiempo de su muerte física. Millares de personas que habían muerto antes de Él habían esperado hasta 4,000 años en el mundo espiritual antes de ser sujetos a los poderes de la resurrección. Mientras que los justos han participado ya de la resurrección (Mateo 27:52-53), la mayoría de aquellos que han muerto aún esperan este evento.

Es por medio de Jesucristo que tenemos este conocimiento del proceso de la muerte. El apóstol Pablo dijo:

> "Si en esta vida solamente esperamos en Cristo, somos los más dignos de conmiseración de todos los hombres" (1 Corintios 15:19).

El profeta Job del Antiguo Testamento testificó que viviría aún después de la muerte (Job 14:14, 19:25-27). La muerte fue descrita por Pablo como "devorada" en victoria a través del poder de Cristo.

> "¿Dónde está, oh muerte, tu aguijón? ¿Dónde, oh sepulcro, tu victoria?" (1Corintios 15:51-55).

LA MUERTE NOS LIBRA DE LAS TRIBULACIONES MORTALES

Aunque la muerte sea trágica, y a pesar de que un ser amado experimente mucho sufrimiento y dolor en esta vida, hay consuelo y paz para el cuerpo en el proceso de la resurrección. El profeta Amulek enseñó varios aspectos de la reunificación y la restauración del cuerpo y el espíritu que deben ser de gran consuelo para todo aquel que ha sido testigo de las imperfecciones de la mortalidad. Dijo:

> "El espíritu y el cuerpo serán reunidos otra vez en su perfecta forma; los miembros así como las coyunturas serán restaurados a su propia forma, tal como nos hallamos ahora; y seremos llevados ante Dios, conociendo tal como ahora conocemos, y tendremos un vivo recuerdo de toda nuestra culpa.
>
> Pues bien, esta restauración vendrá sobre todos, tanto viejos como jóvenes, esclavos así como libres, varones así como

> mujeres, malvados así como justos; y no se perderá ni un solo pelo de su cabeza, sino que todo será restablecido a su perfecta forma, o en el cuerpo, cual se encuentra ahora; y serán llevados a comparecer ante el tribunal de Cristo el Hijo, y Dios el Padre y el Espíritu Santo, que son un Eterno Dios, para ser juzgados según sus obras sean buenas o malas.
>
> Ahora bien, he aquí te he hablado concerniente a la muerte del cuerpo mortal y también acerca de la resurrección del cuerpo mortal. Te digo que este cuerpo terrenal se levanta como cuerpo inmortal, es decir, de la muerte, sí, de la primera muerte a vida, de modo que no pueden morir ya más, sus espíritus se unirán a sus cuerpos para no ser separados nunca más, por lo que esta unión se torna espiritual e inmortal, para no volver a ver corrupción" (Libro de Mormón, Alma 11:3-45).

¡Imagínense! ¡El cuerpo restaurado a su estado perfecto! Ninguna deficiencia, ninguna deformidad a causa de alguna enfermedad, ninguna pérdida del oír o de la vista, ninguna cicatriz, ninguna incapacidad -- solamente un cuerpo perfecto tal como fue originalmente diseñado. Nuestro cuerpo espiritual es perfecto. La mortalidad puede deformar o desfigurar nuestro cuerpo físico pero el cuerpo espiritual que está dentro de nuestro cuerpo físico es perfecto. Nuestro cuerpo físico por lo tanto será restaurado a la perfección que merece y se verá exactamente igual a nuestro espíritu perfecto que morará dentro de él.

CRISTO NOS RESCATA DE LA MUERTE FÍSICA Y ESPIRITUAL

Mientras Cristo proveyó la vía para superar la muerte física a través de la resurrección Él también nos provee la vía para ser rescatados de la muerte espiritual. Todo hombre, en virtud de la caída de Adán, es privado de la presencia de Dios. Es decir, estamos sujetos al pecado y por lo tanto no podemos regresar a la presencia de Dios sin un medio por el cual ser limpios de ellos. Es por medio de la Expiación de Jesucristo que nos soltamos de las ataduras de la muerte espiritual. Esto es posible solo si aceptamos el evangelio de Jesucristo. Aquellos que no se libren de los efectos del pecado a través de la Expiación de Cristo estarán consignados a un reino en donde ni Dios mi Cristo moran. Pablo dijo que no todos los cuerpos son iguales después de la resurrección. Dijo que había cuerpos celestiales, y cuerpos terrenales (1Corintios 15:40-42). Escrituras modernas nos indican que también hay cuerpos telestes (Doctrina y Convenios 76:81). Todos estos cuerpos son resucitados, sin embargo tienen grande diferencia en gloria. Pablo dijo que eran a semejanza de la gloria del sol (celestial), de la luna (terrenales), y de la gloria de las estrellas (telestes). Aquellos que viven en Cristo y han sido obedientes a todos los mandamientos de Dios estarán entre aquellos que morarán con Dios. Juan enseñó:

> "En la casa de mi Padre muchas moradas hay; si así no fuera, yo os lo hubiera dicho; voy pues, a preparar lugar para vosotros" (Juan 14:2).

Aquellos que cumplen con los requisitos para morar en una "mansión de nuestro Padre no están sujetos a la muerte espiritual. Más aquellos que no cumplen con los requisitos para morar en el reino celestial serán expulsados de la presencia de Dios y morirán espiritualmente en el sentido que no gozarán de la plenitud de la vida eterna como aquellos que fueron totalmente obedientes.

TODA PERSONA NACIDA EN LA TIERRA ESCUCHARÁ EL EVANGELIO VERDADERO

Una de las enseñanzas más profundas y bellas del evangelio restaurado es que éste puede enseñar a los que han pasado a la otra vida. Hay millares de hijos de Dios que no escucharon el evangelio aquí en la tierra. ¿Los condenaría y expulsaría de su presencia un Padre justo y misericordioso porque no tuvieron las oportunidades que nosotros tenemos? Las escrituras nos muestran un definitivo, ¡no! Aun antes de que Jesús fuera crucificado anunció que llegaba la hora cuando:

> "De cierto, de cierto os digo: Viene la hora, y ahora es, cuando los muertos oirán la voz del Hijo de Dios; y los que la oyeren vivirán" (Juan 5:25).

Esta escritura la realizó Cristo cuando su espíritu se separó de su cuerpo crucificado. Durante los tres días que su cuerpo yacía sobre la tumba, estuvo en el mundo de los espíritus abriendo las puertas del evangelio a las innumerables huestes que habían muerto y que esperaban este maravilloso evento. En el espíritu él ". . . fue y predicó a los espíritus encarcelados" (1 Pedro 3:19). ¿Por qué hizo esto? Para llevarles el evangelio,

"... a los muertos; para que sean juzgados en carne según los hombres, pero vivan en espíritu según Dios" (1 Pedro 4:6).

LA INVESTIGACIÓN GENEALÓGCA ES IMPORTANTE

¡La muerte no detiene el progreso del hombre en ninguna forma! Aquellos que no tuvieron la oportunidad de escuchar el evangelio aquí en la tierra deben ser alcanzados a través de la obra de investigación genealógica. Millares de nombres son identificados cada año por los Santos fieles quienes buscan el linaje de sus familias hasta llegar a Adán y procuran dar cuenta de toda alma que ha nacido en la tierra. Aquellos espíritus obedientes que han morado en el mundo espiritual desde su muerte están esperando por su oportunidad de participar de la plenitud del evangelio de Jesucristo. Ellos son bautizados, confirmados, ordenados y aún sellados en matrimonio por medio de un representante en los templos de los Santos de los Últimos Días.

Debemos comprender que la muerte no trae consigo ningún cambio significativo en la naturaleza de la persona. Conserva el mismo conocimiento, actitud, deseos, y fe en el otro lado del velo que las que tuvo aquí. Los espíritus de los mortales quienes partieron de este mundo moran en el mundo espiritual donde esperan por la resurrección.

Jesús fue con los espíritus justos en el paraíso y los organizó e instruyó a que llevasen el evangelio a todos aquellos quienes no tuvieron la oportunidad de escucharlo en la mortalidad. La obra de enseñar el evangelio a todo espíritu sin cuerpo se lleva a todo aquel que se arrepiente.

LA MERTE NOS OBLIGA A COMPRENDER LA IMPORTANCIA DE LA VIDA

La muerte es una prueba severa. Harold B. Lee habló de este pesar así:

"Lo importante no son las tragedias y los pesares que nos vienen en la vida, sino lo que hacemos con ellos. La muerte de un ser querido es la prueba más severa que tendrás y si puedes sobrellevar tus pesares y si confías en Dios, entonces podrás vencer cualquiera otra dificultad que se te enfrente" (Presidente Harold B. Lee, "Desde el valle de la desesperación hasta los altos de la esperanza", Deseret News Press 3 de mayo, 1971, pág. 10).

Los invito a que sinceramente mediten y oren acerca de estos preceptos de esperanza acerca de la muerte y de la vida después de la muerte. Seguramente podréis ser inspirados a investigar estas verdades y adoptarlas como parte de su vida. En ningún otro lugar serán enseñados los aspectos tan elevados acerca del propósito de la muerte. Dios les hará llegar al verdadero conocimiento de estas cosas, y las utilizará como fuente de paz y consuelo concernientes a Sus propósitos eternos.

La Iglesia de Jesucristo de los Santos de los Últimos Días está ansiosa por ayudarles a comprender estas verdades. Existe vida después de la muerte. Hay una oportunidad para reuniones largamente esperadas con seres queridos al otro lado del velo. Preparaciones apropiadas aquí en la tierra nos asegurarán una feliz y gloriosa reunión con nuestros seres queridos en el más allá.

Recordemos, Dios nos dio a Su Hijo Unigénito para que triunfáramos sobre la muerte. Hagamos una pausa en el hollado y bien gastado camino de la vida y comencemos a caminar por el más iluminado de todos, el de la vida eterna por medio de la expiación y resurrección de Jesucristo.

Referencias Adicionales: Juan 14:2; 1 Corintios 15:39-42; Doctrina y Convenios 76:81; Alma 40:12-14; 1 Corintio 15:29).

Capítulo 16

VIDA FAMILIAR – VIDA ETERNA

Idea Principal: El éxito más grande del hombre será el de asegurar su familia en esta vida y en la vida venidera.

Hemos considerado muchos aspectos de la naturaleza eterna del hombre y del evangelio. Porque el evangelio s eterno, tiene validez en los cielos así como aquí en la tierra. Hablamos acerca de la autoridad necesaria para ligar convenios y para desatar convenios tanto en la tierra como en los cielos. Ahora quisiera compartir algunos pensamientos con ustedes acerca de la posibilidad de una vida eterna con la familia y de los convenios que los pueden ligar como familia.

Todos nosotros usamos la mayor parte de nuestro tiempo, nuestros esfuerzos y nuestros planes y preocupaciones en y alrededor de la unidad más fundamental de la sociedad, la familia.

La mayor parte de nuestro así llamado éxito en esta vida se concentra en nuestras metas que afectan la calidad de nuestra vida familiar. Porque la familia es tan importante y porque tanto depende de la calidad de vida dentro de las paredes de un hogar, no es sorprendente que esta institución sagrada esté siendo atacada por todos lados por las fuerzas del maligno.

Fue Dios quien ordenó el primer matrimonio sobre este mundo cuando unió a Adán y a Eva como marido y mujer antes de su caída del Jardín de Edén. Fue Dios quien les mandó multiplicar y henchir la tierra y traer hijos como deber y privilegio del estado matrimonial. Es Dios quien manda a sus hijos espirituales a la tierra por medio del milagro de la vida y el nacimiento llevado a cabo por la sagrada unión de marido y mujer en las ligaduras matrimoniales. Es Dios quien guía el destino de naciones, pueblos, gobiernos, y el cumplimiento de sus propósitos mandando criaturas a la tierra para llevar a cabo Su obra en su tiempo designado.

F.M. Bareham escribió:

> "Nos imaginamos que Dios puede manejar Su mundo sólo por grandes batallones, cuando todo el tiempo lo está haciendo con bebés hermosos.
>
> Cuando un mal necesita corregirse, o una verdad predicarse, o que un continente se descubra, Dios manda a un bebé a hacerlo".

El Presidente Spencer W. Kimball ha recalcado aún más esta hermosa enseñanza como sigue:

> "!Cualquier madre, viendo con ternura a su pequeño infante, sueña de que un día será presidente de la Iglesia o el líder de su nación! Al estarlo acurrucando en sus brazos, lo ve como un gran político, un líder, un profeta. ¡Y algunos sueños se realizan! Una madre nos da un Shakespeare, otra un Miguel Ángel, y otra un Abraham Lincoln y aún otra, un José Smith.
>
> Cuando los teólogos se enredan y tropiezan, cuando labios son pretenciosos y corazones andan vagando, y la gente corriendo de aquí a allá, buscando la palabra de Dios sin encontrarla – cuando nubes de error necesitan disiparse y el manto de obscuridad espiritual necesita ser penetrado y los cielos necesitan abrirse, un bebé nace" (Spencer W. Kimball, "La Fe Precede al Milagro", Deseret Book Co., 1972, pág. 323).

LAS FAMILIAS PUEDEN SER ETERNAS

Yo sé que Dios está al timón del destino de toda la humanidad. Me es aparente que la paternidad de Dios es un papel eterno. Estoy igualmente convencido que nuestro papel como hijos e hijas de Dios es uno de potencia divina. No cabe duda de que el propósito de la familia es uno eterno. Los mismos poderes que los apóstoles y profetas poseen para ligar los convenios bautismales y los del sacerdocio por tiempo y eternidad también están disponibles para darle a la familia la oportunidad de permanecer juntos por toda la eternidad. Las condiciones de estos convenios ligadores matrimoniales son como todos los demás convenios eternos. Por medio de la adherencia a guías divinamente establecidas, las familias pueden gozar de la posibilidad de estar juntas eternamente.

Consideremos el impacto de esta declaración. ¿Acaso puede ser que las relaciones que personas buenas y honestas tratan tanto de preservar aquí en la tierra puedan continuar en las eternidades? Les testifico que sí pueden ser. ¿Cuál es el propósito de estos enlaces de amor si no pueden ser preservados para el futuro? ¿Vamos a sentir amor en la vida venidera? ¡Por supuesto! Dios es amor. Él provee el camino para que nosotros gocemos de un amor eterno. El ordena el plan por el cual todo grado de amor es posible para las familias por toda la eternidad.

LA FELICIDAD VERDADERA VIENE SÓLO POR JESUCRISTO

Al analizar la felicidad verdadera, el gozo y el amor, nos damos cuenta de que todas estas condiciones de vida tienen mucho poder en nuestras propias vidas. Es por medio del evangelio de Jesucristo que podemos gozar la esencia y la naturaleza eterna de estos aspectos de la vida. El hombre ha tratado de vivir de tantas maneras diferentes para obtener la felicidad, el gozo y el amor verdadero para él y los suyos. El modo de vivir del hombre trae una felicidad falsa. Es decir, una felicidad de naturaleza efímera, una felicidad atada a cosas, a posiciones y condiciones, a riquezas, a poder o a prestigio.

La felicidad verdadera atada a la familia y a los seres queridos parece ser que logra llenar grandes vacíos. El cuidar e interesarse por otros, la cercanía y ternura son cosas que todos anhelamos tener dentro de las paredes de nuestro hogar. Uno de los profetas de Dios, David O. McKay, dijo:

"Ningún éxito en la vida puede compensar el fracaso en el hogar".

El hogar, la familia, y la relación matrimonial apropiada es donde se fomenta la verdadera felicidad. Otro profeta de los últimos días, Harold B. Lee, nos ha dado este sabio consejo:

> "De las obras del Señor, la más importante que jamás harás será la obra dentro de las paredes de tu propio hogar".

SATANÁS BUSCA DESTRUIR HOGARES Y FAMILIAS

Satanás encabeza un ataque cruel y despiadado en contra de la santidad del hogar, la institución matrimonial, y el propósito de invitar a bebés a venir a la mortalidad. Oímos de la así llamada explosión demográfica, del uso desenfrenado de métodos de control de la natalidad y de los innumerables abortos. La promiscuidad, la perversión sexual, nacimientos ilegítimos y la creciente inmoralidad son todos el resultado de la enseñanza de verdades sagradas de reproducción en una atmósfera que no es divina. Oímos de leyes para limitar el número de la familia, porque de alguna manera u otra nuestros talentosos métodos científicos que pueden poner al hombre en la luna y mandar innumerables artículos al vasto dominio del espacio, no pueden producir suficientes esfuerzos ni energía para alimentar, vestir y hospedar a seres humanos. Usamos billones de toneladas de granos para producir bebidas alcohólicas y nos alarmamos con el nacimiento de un bebé porque no lo podremos alimentar.

Millones de acres de tierra producen tabaco, café, drogas nocivas, y productos para bebidas animosas y apenas nos fijamos en sus efectos de mala salud, y continuamos enseñando que la esterilización y el aborto son la solución para la felicidad futura. Procuramos sacar a las madres del hogar al mercado laboral y recogemos la amarga cosecha de la delincuencia juvenil, drogas, hogares deshechos y matrimonios en fracaso. Ponemos a centenares de mujeres a que trabajen fuera del hogar mientras que a innumerables padres y cabezas del hogar los dejamos sin trabajo. Establecemos centros para cuidar a niños por toda la tierra, y nos preguntamos por qué la familia está decayendo y por qué los hijos no respetan a los padres. Por supuesto que hay muchas mamás solteras que no tienen otra alternativa más que entrar al mundo del trabajo. Ellas representan una gran parte de nuestra sociedad y su fe y diligencia para cuidar a sus hijos es admirable. Nuestra preocupación y nuestras oraciones están con las madres solteras fieles quienes se esfuerzan con todas sus fuerzas para mantener a sus hijos, familias y hogares intactos mientras se enfrentan a enormes desafíos todos los días.

CONSIDEREN EL POTENCIAL ETERNO DE SU FAMILIA

En ningún lugar en el mundo se enseñan ideas y conceptos tan sublimes acerca de la familia y de la vida familiar como los que se encuentran en La Iglesia de Jesucristo de los Santos de los Últimos Días. Sabemos que las experiencias que adquirimos en nuestros hogares y con nuestras familias van a tener un gran efecto en la felicidad eterna de cada uno de nosotros. La felicidad aquí y en la eternidad depende de aprender y vivir leyes eternas aquí sobre la tierra. Siendo que la mayor parte de nuestro tiempo lo pasamos en el hogar, es esencial que consideremos seriamente las enseñanzas el Salvador y el impacto que tendrá su modo de vivir sobre nuestros hijos, nuestros compañeros, y sobre nosotros mismos. Es el deber sagrado del hogar de proveer la base y una atmósfera para vivir una buena vida Cristiana. Ni los centros para cuidar niños ni las escuelas públicas o privadas pueden reemplazar el hogar. El hogar debe ser un refugio del mundo y morada de paz para una familia. Dios estableció y debemos hacer uso de todo nuestro poder para fortalecer esta unidad divinamente ordenada. Al cooperar con Dios y al permitir que nuestras familias funcionen a su manera, ayudaremos al crecimiento y desarrollo de aquellos que entran a esta sociedad en miniatura.

Consideren este consejo de un apóstol del Señor Jesucristo:

> "Una familia basada en el matrimonio de un hombre y una mujer provee el mejor entorno para que prospere el plan de Dios – el marco para el nacimiento de niños, quienes llegan en pureza e inocencia de Dios, así como el entorno para el aprendizaje y preparación que ellos necesitarán para tener una vida mortal exitosa en el mundo venidero. Una masa crítica de familias edificadas sobre tales matrimonios es vital para que las sociedades puedan sobrevivir y florecer. Es por esta razón que tanto comunidades como naciones generalmente han animado y protegido al matrimonio y a las familias como instituciones privilegiadas. Nunca ha sido solo acerca del amor y la felicidad de los adultos" (Christofferson, D. Todd, General Conference, *Ensign* mayo 2015).

LA DESTRUCCION DEL HOGAR RESULTA EN LA DESTRUCCION DE LA SOCIEDAD

Cuando alentamos cualquiera de los planes y estratagemas del mundo para quebrantar la santidad del hogar, lo hacemos o por ignorancia a las leyes divinas o por rebelión a los mandamientos de Dios. Cuando atacamos el orden divino del hogar, entramos en el camino que conduce a la debilidad moral y social. El adversario sabe que al debilitar la base del hogar y la familia, al padre y a la madre, es el modo más fácil para crear rebelión y falta de unidad en la sociedad. También sabe que el plan eterno de Dios de unidad familiar puede desbaratarse por medio de estratagemas satánicas para destruir el hogar y la familia.

LAS NOCHES DE HOGAR AYUDAN A EDIFICAR HOGARES FIRMES

El Señor ha instituido el programa semanal de la Noche de Hogar entre los miembros de la Iglesia. Este es un plan fabuloso para asistir a los padres en su deber de instruir a sus hijos en los caminos del Señor. Una noche de cada semana es apartada para que la familia esté en el hogar y para que el padre, la madre, y los hijos estén juntos como familia por un tiempo sin interrupción. Ninguna cita, llamadas telefónicas, o reuniones son más importantes que la tarea de juntarse como familia para rendir devoción, divertirse y compartir un tiempo divino cada semana. Se ofrece una oración, se cantan himnos u otras canciones, se leen las escrituras, se tratan asuntos de la familia, se comparten talentos, se juega, se aprenden temas religiosos así como muchas otras actividades. Se pueden presentar lecciones del manual preparado para las Noches de Hogar, o toda la familia puede ir al parque o asistir juntos a una actividad especial. La idea es que hagan algo juntos cada semana como familia. El tener consistentemente una Noche de Hogar semanal resultará en grandes bendiciones para la familia. Noten el impacto maravilloso que tiene sobre la familia la habilidad para formar las almas de una madre recta:

> "A todas nuestras madres en dondequiera, pasadas, presente o futuras. Yo les digo, 'gracias. Gracias por dar a luz, por formar almas, por formar caracteres y por demostrar el amor puro de

Cristo'. A nuestra madre Eva, a Sara, Rebecca y Raquel a María de Nazaret así como a nuestra Madre Celestial.

Yo les digo, 'Gracias por su papel decisivo en cumplir los propósitos de la eternidad'. A todas las madres en toda circunstancia, incluyendo a aquellas que están batallando – y todas lo harán – les digo, 'Tengan paz. Crean en Dios y en ustedes mismas. Están haciendo las cosas mejor de lo que piensan. De hecho, son salvadoras en el Monte de Sión, y como al Maestro a quienes ustedes siguen, su amor 'nunca deja de ser' No puedo dar mayor tributo a nadie" (Holland, Jeffrey R., General Conference, *Ensign*, noviembre 2015).

FAMILIAS RODEAN EL TRONO CELESTIAL DE DIOS

Seguramente ninguna persona que piensa bien y que teme a Dios puede creer que el gozo, la felicidad y los lazos que ligan a las familias aquí en la tierra deben cesar al terminar esta vida. Hay esperanza universal para las relaciones familiares en el más allá. Les testifico que el propósito divino de la vida es llevar a cabo la exaltación de las familias en el reino celestial de Dios.

Las llaves, la autoridad, y el poder para ligar a las familias en la tierra y en los cielos están ya en la tierra, y es una parte vital de la restauración del evangelio de Jesucristo. Los miembros de una familia se pueden sellar por tiempo y eternidad. Aquellos matrimonios llevados a cabo por hombres sin la autoridad para ligar el matrimonio en los cielos dejarán de ser al final de esta vida mortal y no tendrán ni fuerza ni validez en la vida venidera. El Señor enseña esta doctrina claramente en lo siguiente:

> "Por consiguiente, si un hombre se casa con una mujer en el mundo, y no se casa con ella ni por mi ni por mi palabra, y él hace convenio con ella mientras él esté en el mundo, y ella con él, ninguna validez tendrá su convenio y matrimonio cuando mueran y estén fuera del mundo; por tanto, no están ligados por ninguna ley cando salen del mundo.
>
> . . . por tano, no se les puede engrandecer, sino que permanecen separada y solitariamente, sin exaltación, en su estado de salvación, por toda la eternidad" (Doctrina y Convenios 132:15 y 17).

¿TENDRÁ UN FIN SU MATRIMONIO?

En otras palabras, los matrimonios llevados a cabo por los sacerdotes y ministros y trabajadores civiles del mundo son de duración mortal solamente. Su pronunciamiento se declara en la ceremonia matrimonial, "hasta que la muerte los separe", ¡es un divorcio decretado a estas parejas al principio de su matrimonio! Así es como lo hace el mundo, no Dios. Los matrimonios de Dios son por tiempo y eternidad. Aquellos matrimonios que se llevan a cabo en los templos del Señor por tiempo y por eternidad son para establecer familias eternas. Sólo el matrimonio, y por lo tanto las familias y sus progenitores son parte del reino celestial. Todos los otros lugares de morada eterna no son designados para la continuación de la vida familiar.

Aquellos que entran en los convenios ligadores requeridos de los candidatos al reino celestial viven y se esfuerzan para alcanzar las recompensas de gozar una plenitud de vida familiar aquí y en la vida después de esta. Piensen en el gozo y felicidad que vivirán aquellos que estarán con su compañero para siempre, con sus hijos, sus padres, sus abuelos bisabuelos y generaciones de familias. Espero que abran su mente a estos conceptos y que tomen los pasos seguros para asegurar su lugar en una morada celestial con Dios y con su familia. Este aspecto del evangelio de Jesucristo ha motivado a millones de personas a que busquen las contestaciones serias y sinceras concernientes al propósito de la vida familiar. Les aseguro que Dios tiene un gran y maravilloso futuro esperando por aquellos que obedecen todos Sus mandamientos y preceptos.

Por favor estudien cuidadosamente el documento anexo de "La Familia: Una Proclamación al Mundo" el cual es un testigo de los últimos días de lo sagrado que es la unidad eterna de la familia (Apéndice III).

Capítulo 17

LA SALVACIÓN EN EL REINO DE DIOS

Idea Principal: Exaltación: La exaltación significa vivir con Dios. La verdadera salvación es exaltación.

Las doctrinas y predicaciones acerca de la salvación son tan numerosas como lo son sus predicadores. Los predicadores de cientos de así llamadas religiones cristianas tienen sus propias doctrinas de salvación. Es una gran confusión el tratar de encontrar el camino por este laberinto de posibilidades que uno puede escoger para ganar la salvación. Mientras unos dicen que la salvación se gana simplemente por creer en Cristo y Sus obras, otros afirman que la salvación se obtiene solamente por gracia, después de todo lo que nosotros podamos hacer. Aun otros abrazan la idea de que solamente la fe es suficiente para la salvación y que las obras no son requeridas. ¿Les parece lógico que Dios sea el autor de tan profundas diferencias de opinión?

Cristo declaró al joven profeta José Smith en 1820 (véase el capítulo siete, la primera visión) que los credos de los hombres eran una abominación a Su vista; que todos aquellos profesores se habían pervertido, que ". . .con sus labios me honran, pero su corazón lejos está de mi, enseñan como doctrinas los mandamientos de hombres, teniendo apariencia de piedad, mas negando la eficacia de ella" (Perla de Gran Precio, José Smith 2:19).

El Señor tiene solamente un sacerdocio autorizado, un bautismo legal, una Iglesia verdadera, un profeta viviente, y un plan de salvación. Este plan se encuentra en la Iglesia del Señor. Contiene todas las ordenanzas necesarias y se llevan a cabo por siervos legalmente autorizados de Dios que poseen las llaves para hacerlo. No importa cuánto esfuerzo ponga el hombre, no podrá alterar los requisitos ni cambiar los procedimientos requeridos para obtener la salvación. Es un plan divinamente inspirado y eterno en su naturaleza. Es aplicable universalmente y abarca a toda la familia humana, lo crea uno así o no.

EL VERDADERO PLAN DE SALVACIÓN

Examinemos el plan de salvación del Señor. El plan eterno de vida se concentra en el concepto de la salvación. En términos religiosos, la salvación significa ser salvos de las consecuencias del pecado y de la destrucción. Porque estamos sujetos a la muerte física y espiritual, necesitamos un mediador para vencer las consecuencias inevitables de la mortalidad. Este mediador es, por supuesto, el Salvador Jesucristo. Su expiación abre la vía para que todo hombre sea salvo de la muerte física por medio de la resurrección. El hombre también es salvo de la muerte espiritual por medio del derramamiento de la propia sangre de Jesucristo por nuestros pecados y transgresiones. Él ha pagado el terrible y suficiente precio por nuestra salvación. Él ha hecho estas cosas por nosotros, que nosotros no podríamos haber hecho por nosotros mismos. Esta parte de la salvación es gratuita. En otras palabras, seremos resucitados sin importar lo que hagamos, hagamos bien o mal, si somos esclavos o libres, ignorantes o instruidos. Viviremos para siempre en nuestros cuerpos resucitados. De igual manera, cuando aceptan la expiación de Cristo por sus pecados a través de su arrepentimiento , Él ya ha pagado por ellos. Pueden ser ateos o mártires, paganos o santos, no importa -- si se arrepienten, el sufrimiento de Jesucristo pagará el precio de sus pecados (Libro de Mormón, Alma 11:40). Esta es la salvación universal e incondicional disponible a todos dondequiera que se encuentren. Puesto que Cristo hizo estas cosas por nosotros, ¿qué hacemos nosotros? Tal vez la pregunta más apropiada sería -- ¿Qué somos capaces de hacer? La mayoría de las definiciones de la salvación que da el mundo no llegan a ser compatibles con el gran sacrificio que el Señor ha hecho por todos los hombres. Así como Jesús llevó a cabo la expiación con explícita obediencia y grandes obras, ¿acaso no debemos nosotros ser igual de dedicados en trabajar por nuestra salvación como lo prescribe el Señor? El Plan de Salvación del Señor requiere más, mucho más, que simplemente creer en Cristo, más que aceptarlo como nuestro Salvador. Es totalmente inconsistente con el registro de las escrituras el aferrarnos a estas filosofías resumidas del hombre sobre la salvación. Es inconsistente con lo que somos capaces de hacer si no nos elevamos a nuestro potencial divino.

LA SALVACIÓN EN LA PRESENCIA DE DIOS REQUIERE UN COMETIDO TOTAL

Estoy de acuerdo de que hay numerosos conceptos de la salvación que se enseñan hoy en el mundo. Sin embargo, el tipo de salvación al que yo me refiero es aquel que lo pone a uno en el reino celestial. Esta requiere obediencia a todas las leyes y a todos los mandamientos de Dios. Es el plan que hace posible que una persona herede la clase de vida que Dios vive. Es en el sentido verdadero, vida eterna. Es un hecho que todos vivirán eternamente, pero ¿quién tendrá vida eterna? Eterno es uno de los nombres de Dios. ¿Quién ganará la salvación en Su reino celestial y quién gozará de vida eterna, la clase de vida que disfruta Dios?

Salvación de esta naturaleza requiere cierta conformidad con leyes celestiales o divinas. Dios y Cristo viven esa ley, por eso residen en su gloria eterna. El reino celestial es como el sol en gloria (1 Corintios 15:40-42). Estas personas son aquellas que son santificadas por el Espíritu. En verdad han nacido de nuevo. Ellos se verán así como Dios y Cristo se vieron cuando conversaron con el profeta José Smith en la Primera Visión. Los miembros del reino celestial tienen cuerpos glorificados, ". . . cuya gloria es la del sol, sí, la gloria de Dios, el más alto de todos, de cuya gloria está escrito que tiene como tipo el sol del firmamento" (Doctrina y Convenios 76:70). Esta morada es la plenitud de gloria, luz, verdad y santidad. Estas son las personas justas y rectas, que han vencido todas las cosas del mundo, que han aceptado todos los aspectos de la expiación de Cristo, y que han cumplido con todas las leyes del evangelio restaurado.

MUCHOS NO EXPERIMENTARÁN VIDA ETERNA CON DIOS

Recordemos que es una forma de condenación la de heredar cualquier otro reino en lugar del más alto grado del reino celestial. Cada reino con excepción del reino celestial tiene sus limitaciones. Los habitantes de los reinos terrestre y telestial y los de las tinieblas de afuera no gozan de la plenitud del potencial que Dios les ha dado porque ya han usado su libre albedrio para obstruir su potencial divino.

La puerta del arrepentimiento y bautismo a la Iglesia verdadera de Jesucristo es un requisito para entrar al reino celestial de Dios. La rectitud, el servicio y el sacrificio son requisitos para obtener una morada en este reino celestial.

Es la salvación en el reino celestial que los justos y fieles desean. Es este tipo de salvación que motiva el vivir una vida recta y de sacrificio de cosas mundanas. La salvación en el reino celestial es para aquellos que rinden total obediencia a Dios y a Cristo. Aquellos que cumplen con todas las leyes y todos los mandamientos de Dios son herederos de esta salvación. Las escrituras hablan de este lugar de residencia eterna como el cielo. El Señor dice que habitar en este lugar es el reglo más grande para la humanidad. Aquellos que obtienen este reino participan de lo máximo de la salvación. Ellos reciben la exaltación.

LA EXALTACIÓN QUIERE DECIR VIVIR DONDE DIOS VIVE

El ser exaltado significa ser levantado o elevado a la gloria más alta posible que el hombre pueda alcanzar. Exaltación quiere decir vivir en la presencia de Dios. El matrimonio y la vida familiar son una parte vital de este reinado celestial.

Exaltación quiere decir recibir la plenitud de la gloria y, " . . .continuación de las simientes es una función sagrada del matrimonio eterno. Es una continuación de vidas eternas, o la oportunidad de tener hijos espirituales en el más allá. Ningún otro reino tiene este derecho y privilegio después de esta vida. El propósito entero del plan de salvación es de levantar un grupo de personas dispuestas a ser obedientes a todas las leyes y mandamientos de Dios y ser capaces de morar en su reino celestial. Dios mandó a Jesucristo aquí para guiarnos a este tipo de vida eterna. La exhortación sencilla de Jesucristo fue, "Seguidme". Su misión entera fue para asistirnos en seguirle, de acuerdo con el profeta José Smith, como el "prototipo o ejemplo de la salvación" (Lecturas Sobre la Fe, pág. 63).

Fue el bien amado apóstol Juan, hablando de los santos dignos, quien ha explicado mejor este concepto dijo las siguientes palabras:

> "Amados, ahora somos hijos de Dios, y aún no se ha manifestado lo que hemos de ser; pero sabemos que cuando él se manifieste, seremos semejantes a él" (1 Juan 3:2).

Los santos serán como Cristo, serán perfeccionados, aun como Él es perfecto. Poseerán gloria como la de Él o si no, no podrán soportar su presencia. Juan dio más testimonio de esta condición cuando citó al Salvador en lo siguiente:

> "De cierto, de cierto os digo: El que en mí cree, las obras que yo hago, él las hará también; y aun mayores hará, porque yo voy al Padre" (Juan 14:12).

El Salvador oró al Padre pidiéndole que "santificara" a Sus discípulos verdaderos por la verdad y que los ayudara a llegar a ser uno, ". . .como tú, oh Padre, en mí, y yo en ti, que también ellos sean uno en nosotros" (Juan 17:17,21).

¿Por qué defendió esta causa para sus discípulos? La intención de Cristo, fue de preparar a un pueblo para que llegara a ser como Él y Su Padre y así poder vivir con ellos para siempre.

EL HOMBRE PUEDE LLEGAR A SER COMO DIOS Y COMO CRISTO

El profeta José Smith enseñó que el mensaje de Juan acerca de las enseñanzas del Salvador:

> "claramente nos enseña la naturaleza de la salvación y lo que Él (el Salvador) propuso a la familia humana cuando se propuso salvarlos – Él propuso hacerlos semejantes a Él mismo, y Él era como el Padre, el gran prototipo de todos los seres salvados; y cualquier porción de la familia humana que se haga similar a Ellos será salva y de no ser como Ellos, es ser destruidos; y en esta bisagra se mueve la puerta de la salvación" (Lecturas Sobre la Fe, pág. 66).

Los invito a considerar en oración estos aspectos de la salvación. ¿Podéis ver por qué el Señor quiere que utilicemos todas las escrituras para encontrar Su camino? ¿Podéis comprender por qué un profeta viviente es tan vital a su salvación? ¿Pueden ver por qué Cristo fue enviado a enseñarles el gran mensaje de llegar a ser como Él es? El evangelio en su plenitud se enseña en la Iglesia de Jesucristo de los Santos de los Últimos Días. Aquellos que pagan el precio de la obediencia y de la rectitud heredarán los tronos del reino celestial para siempre. El Salvador enseñó:

> "Porque el que recibe a mis siervos, me recibe a mí; y el que me recibe a mí, recibe a mi Padre; y el que recibe a mi Padre, recibe el reino de mi Padre; por lo tanto, todo lo que mi Padre tiene le será dado" (Doctrina y Convenios 84:36-38).

¿Qué invitación podría ser más clara?

LA SALVACIÓN VERDADERA ES EN REALIDAD LA EXALTACIÓN

En casi todos los casos en las escrituras que actualmente nos son accesibles, la salvación verdadera es sinónima con la exaltación en el reino celestial. Debemos esforzarnos a vivir de acuerdo con las lees de ese reino. Al hacerlo, llegamos a ser más sensibles al proceso refinador del Espíritu y por lo tanto vivimos más de acuerdo con la voluntad del Señor aquí en la mortalidad. Es posible separarnos del mundo a un grado aunque vivamos en el mundo. El deseo de obtener la exaltación y vida eterna con Dios y Cristo vence las influencias de las tentaciones del mundo cuando vivimos nuestras vidas de acuerdo a las influencias espirituales que están a nuestro alcance.

Es mi firme convicción de que nuestra preparación aquí en la mortalidad es un proceso refinador para equiparnos para poder llevar a cabo el cumplimiento de nuestro gran potencial. Yo veo al Salvador como el gran ejemplo y guía. Fue Él quien invitó a todo hombre por doquier a contemplar las eternidades y magnitud de su propio potencial. Fue Cristo, el líder perfecto quien nos desafió a llegar a ser como Él. Él dijo:

> ". . .por lo tanto, ¿qué clase de hombres habéis de ser? En verdad os digo, aun como yo soy" (3 Nefi 27:27).

Anhelo estar entre aquellos quienes son dignos semejantes a Él, estar con Él, y ser contado entre Sus amigos. En años recientes mi esposa, nuestros hijos, nietos y otros familiares hemos efectuado miles y miles de ordenanzas sagradas para nuestros ancestros en los santos templos. ¡Qué labor de gozo!

Capítulo 18

LOS DESAFÍOS TRAEN FORTALEZA ESPIRITUAL

Idea Principal: El vivir de acuerdo a los principios de moralidad, de trabajo y de buena salud nos ayudarán a crecer espiritualmente.

Tres áreas de dominio propio son esenciales para nuestro desarrollo espiritual. Cuando vivimos las leyes de moralidad, de trabajo y de salud del Señor golpeamos reservas espirituales de fortaleza que nos ayudan a alcanzar nuestro potencial divino.

LA MORALIDAD EN CONTRASTE CON LA INMORALIDAD

Consideremos primeramente la ley del Señor en cuanto a la moralidad en contra de los programas de inmoralidad de Satanás. Muchos desdeñan lo sagrado del sexo. La humanidad está siendo invadida con un alud de vicios, suciedades y envilecimientos diseñados para hacer menos y prostituir el cuerpo humano. La forma humana se exhibe en un pensar de "nueva moralidad" como un artificio de diversión. Los resultados de tales pensamientos son evidentes en el aumento de las epidemias de enfermedades sociales, el número de embarazos fuera del matrimonio, y los innumerables abortos.

A través de todas las épocas de los tiempos el Señor ha mandado a Sus hijos que se mantengan limpios y puros de los vicios de pecados sexuales. ¿Cuál ministro o sacerdote tiene el derecho de derogar o hacer a un lado las leyes eternas de la moralidad? El adulterio y la fornicación son los compañeros constantes de aquellos que defienden el amor libre. "No cometerás adulterio", fue el mandamiento del Señor a Moisés (Éxodo 20:14), y Pablo dijo:

> "¿No sabéis que los injustos no heredarán el reino de Dios? No erréis, ni los fornicarios, ni los idólatras, ni los adúlteros, ni los afeminados, ni los que se echan con varones . . .heredarán el reino de Dios" (1 Corintios6:9-10).

El adulterio, la fornicación y la homosexualidad son pecados graves y deben cesar y el culpable debe arrepentirse para obtener el perdón del Señor.

LAS TRANSGRESIONES SEXUALES SON PECADOS GRAVES

Las escrituras son muy explícitas en la cuestión de transgresiones sexuales. El adulterio sigue al homicidio en gravedad. Cualquier desviación del código moral de Dios es desaprobado a Su vista. La tal llamada nueva moralidad no es más que la vieja inmoralidad que ha llenado a las naciones por siglos. Cualquier esquema que promueve la transgresión de la moralidad sexual son herramientas de Satanás: la pornografía es una manera de llegar a la transgresión sexual. La creciente teoría de unisex así como las prácticas homosexuales están diseñadas a dañar y destruir los grandes propósitos de la vida. Las personas que practican estos comportamientos impíos nunca han producido un pueblo favorecido de Dios, ni son capaces de traer paz a su sociedad. El aborto en la mayoría de los casos, también es considerado como una práctica repugnante y grave contra la moralidad. Obediencia a las leyes del arrepentimiento y el perdón serán requeridas de aquellos que buscan la paz después de haber participado en estas actividades.

Solamente la decencia y la rectitud pueden acabar con las así llamadas enfermedades de obscenidad, vulgaridad y ansias de pornografía. No es una enfermedad la que perpetúa este bajo comportamiento. La indulgencia en apetitos carnales y físicos es la motivación tras este estilo de vida envilecida.

LOS CRISTIANOS VIVEN POR PRINCIPIOS DE AUTODISCIPLINA Y CASTIDAD

Muchas personas buenas y decentes están cansadas de la invasión constante de suciedad y decadencia que se encuentra entre ellos. Hay aquellos que viven por principios de autodisciplina, autocontrol, castidad y pureza. Muchos se mantienen firmes en sus convicciones de que la verdadera libertad y paz no acompañan a los infieles, a los desleales ni a los libertinos.

La tarea de edificar un hogar Cristiano perdurable donde el amor, la pureza y la incorrupción abundan, no es tarea fácil. La esperanza de la humanidad es de preservar a la familia y mantenerla libre de los ataques que se han montado en contra de ella. Sólo el caos y la destrucción son los resultados de la libertad sexual afuera del hogar. La modestia, la decencia y la castidad todas son el sello de la moralidad. Pedro enseñó que los deseos carnales batallan contra el alma (1Pedro 2:11). La verdadera libertad y felicidad se encuentran dentro de los pilares de la lealtad, la confianza y una conciencia limpia.

La sexualidad humana fue dada por Dios. El acto de la procreación dentro del matrimonio es una oportunidad para llegar a ser co-creadores con Dios, proveyendo cuerpos mortales para sus hijos espirituales. Altos principios de castidad se pueden enseñar en una atmósfera espiritual tal como el hogar.

No es algo pasado de moda el ser limpio y casto. La modestia verdadera es el fundamento de decencia y de virtud. Las enseñanzas de la Iglesia de Jesucristo de los Santos de los Últimos Días son firmes en lo que concierne a la moralidad. No hay necesidad de estar confusos sobre la cuestión de una vida moral. No hay necesidad de hacer menos la santidad de la vida y de los poderes de procreación. Creemos que el hombre es capaz de mucho más que solamente el nivel bruto de la simple existencia. Los pecados antiguos con nombres nuevos siguen siendo pecados. Debemos estar agradecidos que las enseñanzas de las escrituras acerca de la moralidad están a la disposición del hombre.

EL TRABAJO HONORABLE ES UN DEBER SAGRADO

Otro aspecto de la felicidad eterna es vivir de acuerdo a los principios de trabajo. Debemos hacer todo lo posible para que el trabajo llegue a ser una parte vital en nuestras vidas. El Señor repudia la ociosidad. Él ha dicho:

> "No serás ocioso; y
>
> "no habrá lugar en la Iglesia para el ocioso, a no ser que se arrepienta y enmiende sus costumbres" (Doctrina y Convenios 42:42, 75:29).

La Iglesia recomienda a sus miembros que trabajen tanto como puedan y que en ningún tiempo voluntariamente retiren de sí mismos la carga de su propio sostén.

El esposo tiene la sagrada responsabilidad de sostener a su esposa e hijos. Pablo dijo que aquellos que no lo hacen, son peores que un incrédulo. (1 Timoteo 5:8). El Elder Ezra Taft Benson ha dicho:

> "El trabajo es nuestra bendición, no una mala suerte. Dios tiene trabajo que hacer y nosotros también lo tenemos" (Reporte de Conferencia, octubre 1974, pág. 91).

Es triste notar que a la vez que aumenta la demanda por salarios más altos, disminuye el nivel de calidad y el orgullo en la mano de obra. Estas son señales interesantes y espantosas. ¿Qué sigue cuando el placer más bien que el trabajo es el propósito de una sociedad? ¡La moral decae, la ociosidad aumenta, lo gratis llega a ser agradable, la inflación y los impuestos llegan a ser opresivos, y la sociedad cae! El dar gratis sin esfuerzo alguno de la otra persona es peligroso y nos derrota. Ningún ocioso debe recibir las recompensas de las obras de alguien más.

Debemos evitar deudas y esforzarnos por vivir dentro de nuestros ingresos. Nuestros hijos necesitan aprender los principios del trabajo y la frugalidad. Fue el trabajo lo que hizo que los Estados Unidos de América fuera grande. ¿Debemos suponer que la ociosidad y el subsidio la va a fortalecer? El trabajo significa progreso, crecimiento, oportunidad y logros. En algunas de nuestras ciudades, los costos relacionados con bienestar son más altos que el dinero que se gasta en protección policiaca, salud y hospitales, y educación (Newsweek, agosto 4, 1975, p. 4).

¿Cuál es la consecuencia de esa ética de trabajo de "obtener algo por nada"? Los animo a que investiguen en oración los efectos desastrosos de esta clase de vida. Los principios del trabajo son una parte vital de la Iglesia del Señor, temporal así como espiritualmente. Creo que la siguiente poesía ilustra estos principios.

Madera Buena
El árbol que luchar nunca tuvo
Por el sol, ni cielo, ni aire ni luz,
Que creció en el llano libre
Y la lluvia siempre obtuvo
Rey del bosque nunca llegó a ser
Sino vivió y murió achaparrado.
El hombre que nunca tuvo que trabajar
Que nunca tuvo que ganar su parte
Del sol, el cielo, la luz, ni el aire,
Nunca llegó a ser hombre,
Pero vivió y murió como empezó,
La buena madera no crece con facilidad
Entre más fuertes son los vientos
Más fuertes son los árboles.
Entre más tormentas, más fuerza
En viento o lluvia, en sol o nieve
En árboles u hombres crece la buena madera
En lo más denso del bosque
Allí encontramos a los patriarcas de ambos
Y son ellos que con estrellas conversan
Cuyas ramas muestran cicatrices
De los muchos años de muchos pleitos
Esta es la ley común de la vida.
Douglas Mulloch

EL SEÑOR HA DADO LEYES ESTRICTAS PARA LA SALUD

Hablemos ahora acerca de la ley de salud del Señor. Nuestros cuerpos son sagrados. Pueden ser dañados si ingerimos materias dañinas. A los miembros de la Iglesia de los Santos de los Últimos Días se les enseña que eviten el uso del café, té, tabaco y alcohol. A este código de salud se le llama vivir la Palabra de Sabiduría. Aquellos que viven por este código, ya sean miembros de la Iglesia o no, están siguiendo reglas de sentido común. El cuerpo es un sistema maravilloso de balances delicados y refinados. Es la obra fascinante de un Creador Divino. El cuerpo hospeda a nuestro espíritu eterno, un don de vida de nuestro Padre Celestial.

Este mismo Creador ha prescrito las leyes que gobiernan y mantienen a nuestros maravillosos sistemas del cuerpo en su nivel óptimo. La buena salud es un estado deseado por todos nosotros. ¿Por qué toman riesgos las personas con productos y materiales que disminuirán las oportunidades para gozar una vida de buena salud?

La Palabra de Sabiduría fue dada al profeta José Smith como una revelación en 1833 (Doctrina y Convenios 89). No es una doctrina restrictiva del Señor ni de la Iglesia. Al contrario, asegura la entrega de todo el potencial de las capacidades del hombre. Por obediencia a los principios correctos enseñados por esta revelación, el hombre no solo puede gozar de mayor salud, sino también de otras bendiciones asociadas con esta ley. Las personas que han vivido estos principios se encuentran entre las personas más saludables del mundo (Family Circle, ¿Qué podemos aprender acerca de la salud de los Mormones? Enero, 1976, pág. 78).

La ciencia y la medicina continúan demostrando el buen consejo de vivir las leyes de salud contenidas en la Palabra de Sabiduría. Al ejercitar uno su libre albedrío escogiendo vivir por estas leyes, demuestra su obediencia a los mandatos del Señor. La obediencia al consejo de Dios libraría a millones de personas de los estragos de los problemas de salud relacionadas con el tabaco. Los galones y galones de café y té caliente que algunos vacían en sus sistemas, con el tiempo ha de reclamar su peaje al sistema humano. La obediencia a las leyes de salud del Señor acerca de la abstinencia del licor ayudaría a reducir los mutiladores efectos de hogares deshechos, divorcios, vidas arruinadas, trabajos perdidos, accidentes, y daños relacionados a este asesino potencial. El hombre está violando el mandamiento "No matarás", cuando abusa de sí mismo usando cosas prohibidas que acortan su vida gradualmente no obstante violentamente.

EL SEÑOR BENDICE A AQUELLOS QUE OBEDECEN SU CONSEJO

Cuando uno vive las leyes de salud que el Señor ha revelado, nuevas oportunidades se le presentan a su entendimiento. El Señor espera que el hombre se levante por sobre el nivel animal de deseos y pasiones y que rinda honor y respeto a la vida humana. El Señor ha dicho:

> "Porque he aquí, no conviene que yo mande en todas las cosas; porque el que es compelido en todo es un siervo negligente y no sabio" (Doctrina y Convenios 58:26).

Consideren por un momento los miles de acres de granos y cebadas que podrían convertirse en producir comida para alimentar a millones y millones de personas. ¿Qué podríamos hacer con los billones de dólares que pudieran ser canalizados a investigaciones y al desarrollo de medicinas que salvarían vidas en vez de reparar las deshechas por el alcohol? Los acres y acres de tierra apartados para productos de tabaco y café podrían utilizarse para alimentar a gente hambrienta en vez de usarse para inflamar membranas delicadas. Piensen en las plagas y las pestilencias que podríamos evitar por obediencia a las leyes de salud divinamente inspiradas. Personas buenas por dondequiera deberían reconocer que el ser esclavos de hábitos y apetitos es lo máximo de la negligencia.

He tratado los últimos tres temas de una manera clara y directa Sería una tragedia ignorar este asunto y encontrar un día que el entendimiento de ellos nos podría haber librado de decepciones y pesares. El camino del Señor no es el camino del mundo. He visto a cientos de personas vencer tentaciones y hábitos que pensaban nunca poder vencer. El programa del Señor es la respuesta para tener paz en una época cuando la confusión y contiendas nos acechan en cada esquina. El Señor nos invita a que hagamos Su voluntad y que descubramos por nosotros mismos si Sus doctrinas son verdaderas o no (Juan 7:17). Les testifico que al vivir las leyes de la moralidad, al emplearnos en obras buenas y honestas, y al guardar la Palabra de Sabiduría recibiremos muchas bendiciones.

Capítulo 19

ECUMENICALISMO: CONVIRTIENDO AL CRISTIANO, GENTIL Y JUDÍO

Idea Principal: El mensaje del evangelio restaurado de Jesucristo debe llevarse a toda nación, pueblo, lengua, raza y tribu.

Es el gran privilegio de la Iglesia de Jesucristo de los Santos de los Últimos Días extender a los habitantes de este mundo una invitación a que se unan a la Iglesia verdadera. Esta obra se hace bajo la dirección del Señor Jesucristo. Es por Su mandato que el mensaje del evangelio ha de llevarse a "toda nación, y tribu, y lengua, y pueblo" (Doctrina y Convenios 133:37).

Nuestros amigos Católicos, Protestantes y Judíos nos preguntan, "¿Por qué no trabajan con los paganos y nos dejan a nosotros en paz?" ¡Nosotros tenemos nuestra fe! Si, sabemos que tienen su fe. Pero es nuestro deber llevar el evangelio de Jesucristo a toda alma, ya sean Cristianos o no, y poner ante ellos la plenitud del evangelio.

Invitamos a toda persona de cualquier vocación a que se una a esta Iglesia. ¿Por qué? Porque el Señor dirige esta obra y Él desea que el gran mensaje de la restauración de Su evangelio sea llevado a toda persona. Él ha dicho:

> ". . . he aquí, mando a todos los hombres en todas partes que se arrepientan . . . Recordad que el valor de las almas es

grande a la vista de Dios; Porque he aquí, el Señor vuestro Redentor padeció la muerte en la carne; por tanto, sufrió el dolor de todos los hombres, a fin de que todo hombre pueda arrepentirse y venir a él. Y ha resucitado de entre los muertos, para poder traer a todos los hombres a él, con la condición de que se arrepientan. ¡Y cuán grande es su gozo por el alma que se arrepiente! Así que, sois llamados a proclamar el arrepentimiento a este pueblo" (Doctrina y Convenios 18:9:14).

EL EVANGELIO RESTAURADO HA DE LLEVARSE A TODO PUEBLO

¡Cuán grande es el valor de las almas! Toda persona dondequiera que esté es hijo de Dios. Esta Iglesia ha sido comisionada para traer el mensaje de salvación a todo pueblo. No lo hacemos por virtud de popularidad ni conveniencia. Somos mandados a hacerlo; Dios no es discriminador de personas, El ama igual al Católico, al Protestante, al Judío como al no creyente. Él nos manda que llevemos el evangelio restaurado de Jesucristo a todos. Él se preocupa porque todo hombre, no importa la tradición de religión que abraza, escuche el mensaje correcto de la salvación.

El ecumenicalismo es un término que se ha usado extensivamente en el mundo Cristiano en los últimos años ha sido un esfuerzo por unir a todos los Cristianos. El ecumenicalismo verdadero empezó el 6 de abril, 1830, cuando la Iglesia del Señor fue organizada. Se les dio a los miembros de la Iglesia la responsabilidad de ir por todo el mundo y declarar los principios de fe en el Señor Jesucristo, arrepentimiento, bautismo para la remisión de pecados, y todo otro mensaje de la restauración. La cosecha se está levantando de una manera milagrosa. Esta Iglesia está experimentando un crecimiento fenómeno en el mundo. ¡Se puede decir que apenas está empezando! Personas buenas por todo el mundo están siendo conmovidas por el Espíritu del Señor a que se unan a la Iglesia. Millones de personas ya son miembros. En los últimos diez años la membresía de la Iglesia se ha doblado. En los años futuros de la Iglesia se verá con millones más en sus filas.

EL CRECIMIENO DE LA IGLESIA ES ASOMBROSO

¡Esta Iglesia existe para multiplicarse! Nunca ha estado ni estará estática. La creación, el plan de salvación, la caída del hombre, la expiación y la restauración nos enseñan una gran verdad, que el hombre debe ser bautizado para ganar la exaltación y vida eterna. Del Señor mismo escuchamos:

> "... y yo testifico que el Padre manda a todos los hombres, en todo lugar, que se arrepientan y crean en mí. Y cualquiera que crea en mí, y sea bautizado, éste será salvo; y son ellos los que heredarán el reino de Dios. Y quien no crea en mí, ni sea bautizado, será condenado" (3 Nefi 11:32'34).

Nuestros misioneros están buscando a las personas que están preparadas para el bautismo, no importa cuántas veces hayan sido bautizados en otras Iglesias. Nos movemos en esta labor con gran fervor. Hemos visto demostrado cientos y miles de veces el maravilloso y completo cambio que se lleva a cabo en las vidas de personas como resultado de su conversión a esta Iglesia. ¿Cómo han de conoce las personas al Dios viviente y a Su Hijo Unigénito? ¿Cómo han de escapar las personas de las consecuencias de sus pecados a menos que sea por medio de las ordenanzas verdaderas del evangelio? ¿A quién irán las personas para ser bautizadas, confirmadas y ordenadas por la propia autoridad y poder? ¿Cómo serán exaltadas las familias y llevadas a las alturas de gloria y gozo? ¿Quién testificará de la divinidad de Jesucristo como lo tenemos en la Biblia y el Libro de Mormón y en todas las otras revelaciones registradas desde el principio del tiempo? ¿Dónde se encuentran los profetas vivientes y los dones de revelación hoy en día? ¿Dónde está la Iglesia que Jesús llama la suya? Estas preguntas y muchas más son contestadas por aquellos que son enviados a predicar la plenitud del evangelio eterno en estos últimos días. El Señor ha dicho:

> "Porque éste es un día de amonestación y no de muchas palabras. Porque yo, el Señor, no seré burlado en los últimos días" (Doctrina y Convenios 63:58).

LAS FAMILIAS SON FORTALECIDAS POR EL MENSAJE DEL EVANGELIO

Al expandirse nuestra fuerza misionera por todo el mundo, estos hombres y mujeres buscan el enseñar el evangelio a los honestos de corazón que buscan la verdad. En particular, nuestros esfuerzos están dirigidos a traer familias a la Iglesia. Porque las familias se fortalecen grandemente por el evangelio, estamos especialmente ansiosos de animar a padres y cabeceras de familias a que se unan a la Iglesia y que dirijan a su familia en el camino del evangelio.

El Libro de Mormón se usa como herramienta principal en nuestra búsqueda de investigadores. Amamos a la Biblia y la usamos diariamente, pero el Libro de Mormón es la clave de nuestra religión. Cuando una persona lo lee, lo medita, y ora acerca de ello, el Señor prepara su mente para recibir estallidos de inspiración y testimonio de su veracidad. Es verdadero, y José Smith lo trajo a luz por la inspiración de Dios. Un hombre me preguntó recientemente por qué veía a nuestros misioneros con el Libro de Mormón tan frecuentemente, ¿qué no creen en la Biblia? Yo le respondí que sí creemos en la Biblia y la usamos, pero el Libro de Mormón es la llave a la conversión. Apunta el camino a la revelación, a los profetas de los últimos días y a la restauración.

EL SEÑOR LES AYUDARÁ EN SU PREPARACIÓN PARA RECIBIR EL EVANGELIO

Por favor estén conscientes de una parte muy sagrada del proceso de la conversión. No es el misionero el que los convertirá al evangelio verdadero de Jesucristo. Los misioneros, sus vecinos Mormones, los folletos y los servicios, etc – ellos no convierten a personas al Señor. ¡Es el Señor mismo que los prepara para el evangelio! Él preparará el camino para que sean enseñados. Él preparará sus corazones para recibir el mensaje de la restauración. Si hacen todo lo posible para demostrar su sinceridad y deseo genuino de conocer la verdad, el Señor los bendecirá con la oportunidad de venir a Su Iglesia. Esta es Su Iglesia y Su Evangelio. Es el autor de este modo de vida. ¡Él se preocupa por ustedes y los ama! Grandes eventos pueden llevarse a cabo para preparar el camino para que se unan a Su Iglesia. Caminos se abrirán, corazones cambiarán, y condiciones y eventos sucederán de tal manera que hará posible que sean conmovidos por el Espíritu para hacer lo que es correcto.

SE LEVANTARÁ UNA OPOSICIÓN QUE LOS FRUSTRARÁ

Deben estar conscientes de que tal vez no sea fácil unirse a las filas de aquellos que pertenecen a la Iglesia y reino del Señor. Aunque el Señor prepare el camino para que lo hagan, en muchos casos exige un precio caro por el privilegio de ser contado entre los santos. Una evidencia de que esta obra es divina es que es opuesta por la fuerza maligna. A veces amigos, vecinos, y aun miembros de su familia misma se opondrán a su decisión de unirse a la Iglesia. Habrá personas que los aconsejarán, les traerán literatura, los menospreciarán y también tratarán de convencerlos que están cometiendo un error.

LA ORACIÓN SINCERA ES ESENCIAL PARA TOMAR DECISIONES CORRECTAS

Pueden tener hábitos que vencer y quitar de su vida. Puede ser necesario cambiar su modo de vida y situación social. Pueden encontrar que sus metas y aspiraciones en la vida sean afectadas y sus valores cambiarán. Todos estos cambios son parte del llegar a ser seguidores explícitos de Jesucristo. Mantengan su corazón alerta a la inspiración del Espíritu y abran las líneas de comunicación con el Señor por medio de la oración. Esta es la obra del Señor, estén en constante comunicación con Él acerca de sus decisiones. Él los ayudará.

Quisiera repasar el tema de la oración con ustedes. Es una parte tan vital para traer el evangelio a su vida. La oración es una cosa personal entre ustedes y Dios. El Señor nos ha dado un patrón de oración que podemos seguir. Noten la referencia a un patrón y no un procedimiento de rutina. Una oración puede incluir lo siguiente: Primero, dirigirnos a Dios. Podemos decir, "Nuestro Padre que estás en los cielos", o "Nuestro querido Padre Celestial", o algo similar que muestre reverencia y amor por Dios el Padre. Segundo, le agradecemos. Agradézcanle por las bendiciones que han recibido. "Te agradezco por . . .", o "Te agradecemos por . . .". Hagan esto natural y humildemente. Recuerden que están hablando con Dios, Él es su Padre. Háblenle como su amigo. Tercero, pídanle lo que necesiten en específico, "Por favor ayúdame a saber que el Libro de Mormón es verdadero", o "Por favor ayúdame a dirigir a mi familia en rectitud, etc". Cuarto, terminen en el nombre de Jesucristo. Amén. "Digo estas cosas en el nombre . . ." Jesucristo es el mediador entre Dios y el hombre. Él también, se interesa en su oración.

Con fe, oración sincera y estudio, serán movidos a unirse a esa Iglesia. Cuando los misioneros lleguen a su puerta, déjenlos pasar para que les expliquen el evangelio. Cuando sus amigos en la Iglesia, familiares o vecinos los inviten a ser parte de lo que les ha motivado e inspirado a ellos, mantengan su mente y su corazón abiertos a lo que están tratando de compartir con ustedes. Están aquí en la tierra con un propósito muy especial. Puede ser que ya sea tiempo de que descubran lo que el Señor tiene para ustedes. Esta es Su obra, pregúntenle qué es lo que deben hacer. Él los necesita en Su reino. Él necesita a su familia y sus talentos en ésta Su gran obra de los últimos días. ¡Que el Señor les bendiga en sus esfuerzos por unirse a Su Iglesia y llegar a ser parte vital del movimiento ecuménico más grande que el mundo jamás ha conocido!

Capítulo 20

LAS SEÑALES DE LOS TIEMPOS

Idea principal: Como con la precisión de un reloj, el itinerario del Señor para el mundo se está manifestando y revelando señales y eventos que preceden la inminente segunda venida de Jesucristo.

Cuando apremiado por los fariseos bíblicos a que les mostrara una señal del cielo, Jesucristo reprendió a estos hombres y les llamó hipócritas diciendo: ". . .que sabéis distinguir el aspecto del cielo, ¡mas las señales de los tiempo no podéis!" (Mateo 16:3).

Podríamos hacer la misma pregunta a los confusos de hoy: ¿No podéis discernir las señales de los tiempos? ¿Cuáles son algunas señales de la segunda venida que ya se han cumplido? ¿Cuáles eventos son anticipados en estos últimos días que señalan la segunda venida de Jesucristo? Los eventos que ya se han cumplido son la apostasía y la restauración. Sin duda los capítulos de historia religiosa están registrando otro evento vital que ha transcurrido entre un grupo del pueblo del Señor. Los judíos han sido azotados por muchas naciones. El profeta Nefi predijo que porque los judíos rechazaron al Mesías, ellos:

> ". . .vagarán en la carne y perecerán, y serán un escarnio y un oprobio, y serán aborrecidos entre todas las naciones (1 Nefi 19:13-14).

Este pueblo ha pagado un precio terrible de aflicción en los últimos siglos. Un amanecer nuevo viene en el horizonte para ellos. Su tierra antigua, Israel, ya está en su posesión. Han adquirido estas tierras a través de circunstancias milagrosas.

EL SEÑOR RECOBRARÁ A SU PUEBLO DEL CONVENIO

Debemos recordar que el Señor tiene una mano en restaurar a Su pueblo. Aunque los judíos se olvidaron de los antiguos convenios que hicieron con el Señor, Él no se ha olvidado de ellos. El Señor ha dicho:

> "Por un breve momento te dejé, mas con grandes misericordias te recogeré. Con un poco de ira escondí mi rostro de ti por un momento, mas con misericordia eterna tendré compasión de ti".

Continúa diciendo:

> ". . .quien se juntare contra ti, caerá por tu causa . . ."
>
> ". . .Ninguna arma forjada en contra de ti prosperará . . ." (Libro de Mormón, 3 Nefi 22:7-8, 15, 17).

¿Acaso no recordamos la guerra de seis días entre Israel y sus opresores? ¿Acaso no hemos sido testigos de la lealtad intensa y del espíritu de determinación propia que posee este pueblo? El Señor les prometió que:

> ". . .sean reunidos en las tierras de su herencia . . ." (Libro de Mormón, 2 Nefi 9:2).

Se están recogiendo en Jerusalén y a su tierra natal de todas partes del mundo.

Más y más naciones están abriendo sus puertas para recibir el mensaje del evangelio restaurado. El Señor preparará el camino para que el evangelio sea predicado en toda nación, lengua, y todo pueblo. Los electos de Dios están siendo recogidos al redil de la Iglesia en preparación para las tribulaciones y desolaciones que se enviarán a los malvados. El mundo está creciendo en iniquidad y la cosecha de los justos se está llevando a cabo. El trigo (los justos) está siendo separado de la cizaña (los malvados) por última vez.

Otra obra maravillosa de los últimos días que se está abriendo con rapidez y poder es el crecimiento de la Iglesia entre los lamanitas descendientes de los pueblos del Libro de Mormón. Miles de estos americanos originales del norte, sur y Centroamérica y de las islas del mar están llegando en grandes números al redil del evangelio. Una escritura de los últimos días dice que:

> "Pero antes que venga el gran día del Señor, Jacob prosperará en el desierto, y los lamanitas florecerán como la rosa" (Doctrina y Convenios 49:24).

El Libro de Mormón ha sido restaurado entre este pueblo lamanita y ha sido un medio por el cual el poder de Dios se ha mostrado entre ellos. Están siendo bautizados como lo fueron sus padres antiguamente. El Señor les prometió que cuando estas cosas empezaran a llevarse a cabo:

> ". . .entonces les será por señal, para que sepan que la obra del Padre ha empezado ya, para dar cumplimiento al convenio que ha hecho al pueblo que es de la casa de Israel" (Libro de Mormón, 3 Nefi 21:7).

LAS SEÑALES DE LOS ÚLIMOS DIAS SON CADA VEZ MAS EVIDENTES

Las señales de los tiempos también se están manifestando de muchas maneras. Tal vez no hayáis asociado algunos de estos eventos con las señales de la Segunda Venida. Veamos las profecías en el libro de Matero una vez más. En el capítulo 24 de Mateo, el Salvador enumera algunos eventos futuros de los últimos días a sus discípulos. Aquellos con corazones que disciernan pueden notar que muchos de los versos en Mateo 24 y otras escrituras se están llevando a cabo.

> "Antes de la venida de nuestro Señor", de acuerdo con El Elder Bruce R. McKonkie, "las profecías dicen de plagas, pestilencias, hambres y enfermedades tales como el mundo jamás ha visto; de castigos, tribulaciones, calamidades, y desastres, sin comparación; de contenciones, guerras y rumores de guerras, sangre, matanzas, y una desolación cual no la ha habido desde el principio del mundo hasta ahora; de los elementos en conmoción con resultados en inundaciones, tormentas, quemazones, tornados y terremotos todo de una proporción e intensidad que no se ha conocido; de maldad, iniquidad, perversidad, alborotos, saqueos, asesinos, crimen y conmoción entre los hombres casi más allá de la comprensión (Doctrina Mormona pág. 23).

Todos los eventos están empezando y las escrituras dan pleno testimonio de ellos. ¿Negará el hombre estas señales? ¿O las contemplará con asombro y miedo? ¿Qué les dicen a los honestos de corazón que hagan? ¿Acaso no debemos ser serios en la tarea del arrepentimiento, el bautismo, y de poner nuestras vidas en orden? Las señales de los tiempos nos sugieren que hagamos todo lo que podamos para prepararnos y estar en el lado del Señor y asistir en la obra de Su reino. Todo el fervor y celo que podamos reunir se requerirá para esta preparación.

¿QUIÉN ESTARÁ PREPARADO PARA RECIBIR AL SEÑOR CUANDO VENGA?

Las personas de esta tierra se pueden dividir en tres categorías cuando se consideran los eventos de la Segunda Venida. Hay aquellos, primeramente, que no les importa, y que no están preparados para darse cuenta de las señales y los eventos que preceden la gran victoria triunfante de Jesucristo. En segundo lugar, hay aquellos que creen en la Segunda Venida y que pueden discernir las señales asociadas con este evento, sin embargo, son como las cinco vírgenes que se vieron sin aceite cando venía el esposo y no pudieron entrar a las bodas (Mateo 25:1-13). En otras palabras, no toman su preparación en serio y les tomará por sorpresa. Y por último, hay aquellos a quienes el Espíritu les testifica quietamente que el tiempo se acerca. Sí, conoced que está ceca (Jesucristo), "aun a las puertas" (Mateo 24:33).

Son los siervos fieles y humildes de Dios que día a día desean hacer Su voluntad y servirlo a toda costa. Estos son los hijos de Dios que viven por los principios sencillos pero poderosos de la fe y las obras. Tienen paz en sus corazones y están progresando en guardar los mandamientos. Están dispuestos a perseverar hasta el fin en obediencia, habiendo entrado por la puerta que el Señor ha prescrito. Las personas en esta categoría obedecen las palabras de los profetas y las autoridades que el Señor ha escogido para darles consejo y para guiarlos.

Estas personas están conscientes de los incidentes de guerra, las hambres, sequías, plagas y pestilencias que aumentan y suceden en todo el mundo en estos días. Las huelgas, la anarquía, la contención, la envidia, el odio, y el pesar, andan sin restricción. La violencia, la inmoralidad, la falta de respeto a la vida humana y el vivir virtuosamente todos son parte de las señales de los tiempos. La voz de truenos, relámpagos, tempestades, terremotos, y granizados, todos testificarán de la destrucción que le espera a la iniquidad. A pesar de que las señales indican la proximidad de este evento colosal, el Señor ha dicho que:

> "Pero el día y la hora nadie sabe, ni aun los ángeles de los cielos, sino sólo mi Padre" (Mateo 24:36).

Aquellos que están observando, escuchando y discerniendo las señales no serán engañados. El Señor no vendrá como ladrón en la noche a aquellos que están preparados, porque estarán conscientes de los eventos asociados con el regreso del Salvador. El mundo está llegando al fin de su existencia temporal de seis mil años. El Señor vendrá de acuerdo con revelación moderna:

> "al principiar el séptimo milenio" (Doctrina y Convenios 77:12)

A este tiempo Él:

> ". . .santificará la tierra, consumará la salvación del hombre . . ." (Doctrina y Convenios 77:12).

Cuatro períodos de mil años transcurrieron entre el tiempo de Adán y el nacimiento de Jesucristo. Casi otros dos períodos de mil años han transcurrido desde el nacimiento de Jesucristo a nuestros días. Aun con la probabilidad del error del hombre en calcular el tiempo desde el tiempo de Adán y la existencia temporal de esta tierra, podemos ver que la segunda venida de Jesucristo está a la mano.

EL DÍA DE JEHOVÁ, GRANDE Y TERRIBLE

Nuestra generación es el tiempo más emocionante y a la vez más espantoso que el hombre jamás ha conocido, por lo tanto se dice en las escrituras de esta edad que es "el día de Jehová grande y terrible" (Malaquías 4:5). Es un día grande para aquellos que esperan el gozo y la felicidad que están asociados con la resurrección y la unión del cuerpo y el espíritu de los santos justos desde el principio del tiempo. Es un día grande para aquellos que han procurado establecer a Sión y ser reinados por el Rey de Reyes, Jesucristo.

Pero es un día terrible para aquellos que pelean en contra de los profetas y que se burlan de las obras y de la fe de los justos. Para aquellos que han resistido a los maestros del evangelio y a los misioneros que han trabajado para traer almas al arrepentimiento por medio de las aguas limpiadoras del bautismo y del poder purificador del Espíritu Santo, es un día terrible. Sí, es un día terrible para aquellos a quienes tomarán por sorpresa las señales y los eventos de la Segunda Venida. Cuando el Salvador aparezca.

> "Entonces comenzarán a decir a los montes: Caed sobre nosotros; y a los collados: Cubridnos" (Lucas 23:30).

Porque cuando ese día venga:

> "Serán estopa: aquel día que vendrá los abrasará, . . . y no les dejará ni raíz ni rama" (Malaquías 4:1).

SEÑALES DE LOS ÚLTIMOS DÍAS

Los eventos asociados con la Segunda Venida están siendo más y más evidentes por las señales de los tiempos de esta generación. Muchos eventos han transcurrido de acuerdo con profecías como con la precisión de un reloj. Muchos más se esperan con igual precisión. Por el amor a Dios y a Su Hijo Bien Amado, debemos motivarnos para preparar nuestras vidas y nuestras familias para la Segunda Venida. Esos son los tiempos que pondrán a prueba a la raza humana hasta su límite. Nos estamos acercando a los tiempos que requerirán lo mejor del hombre y la mujer. El evangelio de Jesucristo tiene las soluciones para vivir en el mundo de hoy. ¿Harán las preparaciones adecuadas para poder discernir las señales de los tiempos y se prepararán para el grande y terrible día del Señor?

Referencias Adicionales: Mateo 24:5-20, Lucas 21, Doctrina y Convenios 29, 43, 45, 86-88, 133, 2 Tesalonicenses 2:3, Hechos 3:21.

Capítulo 21

CONCLUSIONES CON NUEVOS COMIENZOS

Idea Principal: Podrán saber la veracidad del evangelio sólo si aplican la fe, oración y estudio con intención verdadera. El evangelio es la solución a todos los problemas.

El testimonio registrado dentro de estas páginas se escribió en humildad por el poder de la convicción. Los pensamientos y principios tienen raíces profundas en mi alma. Las verdades son de una fuente eterna, que no cambian y que son dignas de confianza. La habilidad para presentarles con exactitud es una lucha de gran magnitud, no porque el evangelio no sea claro y sencillo, sino porque no hay palabras con suficiente fuerza ni suficientemente convencedoras por sí mismas para conmover a hombres o mujeres a que se preparen para encontrarse con su Creador.

He visto y sentido religiones que son sinceras pero inadecuadas para contestar las preguntas de suma importancia acerca de la vida y de cosas eternas. He pasado por la experiencia de tratar de adorar al Dios desconocido e intangible del mundo y anhelaba con todo mi corazón conocer la verdad acerca del Unigénito de Dios. Aunque las iglesias de los hombres producen algunos frutos buenos, no satisfacen los anhelos espirituales profundos.

LOS FRUTOS DEL EVANGELIO VERDADERO SON DULCES

La verdad es maravillosamente tangible, dulce y poderosa. Las enseñanzas a las cuales fueron introducidos hoy son suficientes para reorientar su vida entera. Por el poder de la fe y ejercitando ferviente oración, podrán encontrar reservas de paz y de motivación que jamás han conocido ni atrevido a considerar en el pasado. El evangelio de Jesucristo es la contestación a todas las preguntas, aun de las más desafiantes. Es la esperanza detrás de todo lo que es bueno, decente y justo. Las verdades de las cuales he testificado han resistido las pruebas de los tiempos, calumnias y todo el abuso que el hombre puede idea para tratar de esconderlas.

¿Pueden imaginarse los contrastes muy reales entre las doctrinas de los hombres y el evangelio de Jesucristo? Las diferencias entre las doctrinas de las cuales testifico en este libro y las doctrinas de los hombres, que muy fácilmente se cubren en la religión, en la filosofía, en el mito, en la tradición y en lo que sea, son vívidas. Dios es la fuente de toda verdad. Pueden depender de esta referencia eterna. La verdad es verdad y ni el tiempo, la ciencia ni la educación la influenciarán de otra manera.

Solamente hay un modo de experimentar el poder de la verdad. La fuente de su comprensión es la oración sincera y con intención verdadera. Si estudian y oran acerca del mensaje de cada capítulo de este libro, podrán introducir un cambio en sus vidas que los premiará más allá de sus esperanzas. Serán introducidos a doctrinas, convenios, expectativas y testimonios que jamás han descubierto. Muchas, sino todas, de las cosas presentadas en los capítulos anteriores tienen consecuencias asociadas con ellas que afectarán no sólo el resto de su estado mortal sino también afectarán su vida eterna.

ES POSIBLE EXPERIMENTAR UNA VIDA DE PLENITUD

No creo que una persona, no importa quien sea, o donde viva, o cuales sean las circunstancias, sepa lo que en verdad es vivir si no es un miembro activo de la Iglesia de Jesucristo de los Santos de los Últimos Días. Puede tener algunas verdades y parte del propósito de la vida, pero no puede conocer la realidad en el sentido más puro porque ha edificado su fundación sobre el error y suposiciones falsas. El hombre ha construido un mundo de creencias y valores basados sobre la evidencia empírica. Solamente el evangelio verdadero de Jesucristo revela quién es el hombre en realidad, por qué está aquí, y a dónde va.

La búsqueda que empezaron no va a ser fácil. La verdad será dulce, pero la oposición con la se enfrentarán será real. El programa de vida del Señor se ofrece a todos, pero es aceptado por pocos. Tiene un programa que no es producto de baja calidad. Ofrece altas recompensas a aquellos que están dispuestos a pagar el precio que Él exige. No hay caminos cortos o atajos, ni tratos, ni excusas. Él ofrece un lugar en Su reino a aquellos que ganan el derecho y el privilegio de estar con Él.

SE ENFRENTARÁN CON NUEVOS DESAFÍOS

Otra vez, la oración es la llave a su descubrimiento de principios verdaderos. Pídanle a Dios el Padre en el nombre de Jesucristo, nuestro Redentor, que puedan sentir el poder del Espíritu Santo testificar a su alma que el evangelio es verdadero. Pídanle el valor para aceptarlo todo, no solamente lo que se oye bueno o lo que le conviene a su intelecto o emociones. Pídanle la fuerza para ser sinceros y para estar dispuestos a someter su fe a las duras pruebas que podrán atacarla. Serán probados, y templados y su cometido será tan fuerte como el acero o tan frágil como el hierro fundido dependiendo de la intensidad y el deseo con que pidan la ayuda del Señor en esta tarea de encontrar la verdad. Esta es la obra del Señor; Él los ayudará, Él los guiará y los bendecirá.

Como enseñó uno de los apóstoles de los últimos días:

> "¿Podemos ver un patrón en estas escrituras que testifica del Padre y del Hijo como individuos y seres distintos? ¿Cómo es entonces que son Uno? No es porque sean la misma persona, sino porque Ellos están unidos en propósito, y están igualmente dedicados a 'llevar a cabo la inmortalidad y vida eterna del hombre'.
>
> Jesús es un Dios, sin embargo, Él continuamente se distingue como un ser individual y separado orando a Su Padre y al decir que Él está haciendo la voluntad de Su Padre. Durante Su ministerio entre los Nefitas, Él suplicó: 'Padre, no pido por los del mundo, sino por aquellos a quienes tu me has dado que no son del mundo . . . que pueda yo estar con ellos como tu,

Padre, estás conmigo, que podamos ser uno, para que pueda ser glorificado en ellos'.

Con esto en mente, no nos debería sorprender que la Restauración del evangelio se haya iniciado con la visita de no solo de uno sino de dos seres glorificados. De su Primera Visión, el Profeta José Smith testificó: 'Uno de ellos me habló, llamándome por mi nombre y dijo, señalando al otro, Este es mi Hijo Amado, ¡Escúchalo!'")Hales, Robert D., Conferencia General, *Ensign*, noviembre 2014).

SEAN RECEPTIVOS A NUEVAS ENSEÑANZAS Y EXPERIENCIAS

Sean de amplias miras, llegarán a conclusiones que crearán nuevos comienzos en muchas fases de su vida. Esas conclusiones los llevarán a comprensiones espirituales profundas. Abrirán nuevos puntos de vista acerca de su naturaleza física. Establecerán nuevos horizontes concernientes a su vida social, a sus asociaciones, a sus hábitos personas y al uso de su tiempo y energía. Prosigan en este esfuerzo con los ojos bien abiertos y con el corazón sincronizado al cambio. Sentirán diferente. Pensarán en cosas diferentes, meditarán consecuencias diferentes. En otras palabas, a menos que estén dispuestos a encontrarse con su verdadera personalidad, a luchar con principios que afectarán su ser entero, se enfrentarán a decisiones de peso eterno, se estrecharán sus esperanzas y expectativas a alturas nunca jamás consideradas, no deben entonces exponerse a los conceptos del evangelio restaurado.

Los invito a que empiecen la búsqueda más seria de su vida. Pídanle a Dios que los bendiga en esta jornada. Los llevará por caminos por los cuales tal vez nunca han andado antes, por lo tanto, Su guía es esencial. Son Sus hijos y los ama mucho. Confíen en Él. Él desea que encuentren el camino de regreso a casa.

UNA NUEVA RELIGIÓN – UNA NUEVA VIDA

Ansiaba claridad y propósito en la vida, pero asistir a las pláticas acerca de la doctrina Mormona iría en contra de todo lo que me habían enseñado.

Un día en 1961, siendo un estudiante en la Universidad del Estado de Washington, estaba caminando por la universidad cuando note un anuncio de un programa en donde se hablaría de las diferentes religiones. El primer tópico era "La Actitud de los Mormones en cuanto a la Vida y la Muerte", e iba a ser dirigido por John M. Madsen, un compañero de la universidad.

Yo me había educado en un hogar muy devoto en cuanto a la religión y mi familia asistía a sus servicios religiosos regularmente. Mis hermanos y yo participamos fielmente como monaguillos desde los nueve años hasta que éramos adultos. Durante mi juventud la pregunta que estaba siempre en el aire era si debía entrar en el ministerio. Cuando era joven el obispo de nuestra diócesis me dijo "Gary, algún día tú serás un sacerdote. De hecho algún día llegarás a ser obispo". Pero algo en mi corazón hizo que sopesara la vida de un sacerdote en relación con la vida de un esposo y padre de familia. La inquietud de vivir una vida de celibato sin matrimonio y sin familia pesaba dentro de mi alma. Ansiaba tener claridad y propósito en mi vida.

Preparación

Cerca de un mes después, antes de ver el anuncio, había conocido a Judy England, miembros de La Iglesia de Jesucristo de los Santos de los Últimos Días y también compañera de la universidad. En nuestro breve tiempo juntos, ella me habló de sus creencias, de su fe así como sus esperanzas para el futuro. Ella me habló de una iglesia *verdadera*, de familias eternas, del reino celestial y del matrimonio eterno. Aun cuando yo era muy religioso, estos conceptos eran totalmente nuevos para mí. El amor de Judy por el evangelio se dejaba ver en la manera en que vivía y en la manera en que se expresaba en cuanto a lo que creía. Poco sabía yo de que estaba siendo preparado por el camino de la conversión hacia el evangelio restaurado y el gran plan de felicidad de Dios.

Me debatía entre asistir o no a esas plática en cuanto a la doctrina Mormona. Mi decisión consciente de escuchar una presentación acerca de una religión que no era la mía sería un pecado grave a los ojos de mis líderes religiosos. La noche del programa, caminé de un lado a otro afuera del salón en donde se estaba dando la plática durante varios minutos antes de entrar. Pero una vez adentro, aprendí acerca del plan de salvación, de nuestra vida premortal, de la mortalidad así como de la resurrección a la vida eterna con Dios, Jesucristo y nuestra familia. Admire la manera en que John enseñaba los principios de su religión.

¿Es Verdadero?

Lo que escuché me pareció tanto sagrado como reconfortante, pero empecé a batallar con tales conceptos como autoridad verdadera, la Iglesia verdadera, la doctrina verdadera, ordenanzas verdaderas, y escrituras verdaderas versus las enseñanzas, credos y filosofías de los hombres.

Continué participando en mi iglesia pero empecé a buscar más oportunidades para conocer más acerca de la restauración. Judy y John eran mis amigos y fueron buenos ejemplos de los Santos de los Últimos Días. Este fue un tiempo nuevo en mi vida, un día de despertar de las tradiciones de mis padres a un mundo de verdad y luz. Durante el siguiente año fui atraído hacia los principios del evangelio. Simplemente no me podía alejar, tenía un gran deseo de saber más.

En la primavera de 1962 cuando estaba en una práctica de beisbol con el equipo Cougars de la Universidad del Estado de Washington, John frecuentemente pasaba a saludarme moviendo su mano y sonriendo reconociéndome como su amigo. Mi interés por Judy también iba en aumento pero el tema de la religión me daba temor de iniciar una relación. El cambiar mi religión todavía no estaba en mi agenda.

Ese verano John me regaló un ejemplar de *Una Obra Maravillosa y un Prodigio* por Elder LeGrand Richards (1886-1983) para que leyera mientras trabajaba en un campamento del Servicio Forestal de los Estados Unidos. Este libro, al leerlo, me ayudo a contestar mis preguntas acerca del propósito de la vida. Las verdaderas doctrinas de Cristo así como de la restauración del evangelio fueron desplegadas ante mí. Me impresionó la claridad de las enseñanzas acerca de la Trinidad, de la autoridad del sacerdocio y revelación, de las escrituras de los últimos días así como del plan de redención.

Un domingo de ese verano pude asistir a los servicios del barrio de John y fui recibido con los brazos abiertos. John fue el maestro de los investigadores ese día y enseñó acerca de la Trinidad. Después de la Escuela Dominical, John habló conmigo en el vestíbulo antes de que me fuera- Me dijo: "Bueno Gary, ¿cómo te sientes? Yo respondí, "¡Siento que ya conocía estas cosas desde antes!" Entonces John dijo: "Gary, así es. Tu conociste estas cosas antes que vinieras a esta vida".

Cuando regresé a la universidad ese otoño, John me invitó a asistir a su clase de seminario temprano en la mañana que él enseñaba a los alumnos de la preparatoria. Esto me ayudó para obtener una mayor comprensión de las verdades del evangelio restaurado, del papel del Profeta José Smith, del Libro de Mormón, así como de la necesidad de una restauración.

Recibiendo una Respuesta

Un viernes por la mañana del 2 de noviembre de 1962, durante una clase de seminario, John puso un discurso intitulado *El Perfil de un Profeta* por el Presidente Hugh B. Brown (1883-19975), era entonces el Segundo Consejero de la Primera Presidencia. Las semanas previas de seminario me habían preparado sutilmente para esta experiencia trascendental en mi vida. Durante esa hora sagrada obtuve un testimonio de José Smith como el profeta de Dios a través del cual el evangelio de Jesucristo había sido restaurado. Las tradiciones de la religión que me habían sido enseñadas fueron vencidas esa mañana por el testimonio que había recibido respecto a la veracidad de la obra del Profeta. Ese día de noviembre, todos los principios y verdades preciosas que había aprendido respecto al Profeta José Smith y el Libro de Mormón se concentraron en mi mente y mi corazón.

Regrese a mi departamento después de esa clase de seminario y derrame mi alma con sinceridad y verdadera intención, teniendo fe en Cristo, a Dios suplicándole por Su guía y dirección en este momento crucial en mi búsqueda por la verdad. Durante este acto de fe y humildad ante Dios, el poder del Espíritu Santo envolvió mi ser entero, quemando toda duda, temor, e inquietud acerca de lo que debía hacer. Vinieron sobre mi sentimientos de consuelo y seguridad y supe que mi vida estaba a punto de cambiar de manara dramática. Regrese al edificio de seminario y le dije a John: "Me gustaría unirme a tu Iglesia". Él hizo los arreglos para que los misioneros me dieran las pláticas y fijamos una fecha para mi bautismo.

Mi renacimiento espiritual fue real pero también muy doloroso. Mis padres y familia estaban destrozados al enterarse de mi decisión de unirme a la Iglesia. Judy y John estaban emocionados, solo que ahora estaba yo tratando con la aceptación y gozo por un lado y el rechazo y desilusión por el otro.

La experiencia de la conversión está basada en tres pilares: amigos en la Iglesia, responsabilidad a través del servicio, y el ser nutridos por medio del estudio, participación y oración. Treinta y cinco años después de mi bautismo, el Presidente Gordon B. Hinckley se refirió a estas tres cosas como elementos necesarios de la conversión al hablar a la Iglesia respecto a la obra misional y la retención. Estos mismos pilares fueron esenciales a mi conversión.

Paralelos

Después de que fui bautizado y al transcurrir el tiempo, han habido muchos paralelos entre la vida de John y la mía. Tuve la oportunidad de conocer más acerca del servicio del sacerdocio al ser el compañero menor de John en asignaciones de orientación familiar. El siguió una carrera en el Sistema Educativo de la Iglesia y yo también. En 1963 me casé con Judy England en el templo de Carlson Alberta y John se casó con Diane Dursteler en el templo de Salt Lake. Tanto John como yo recibimos una licenciatura de la Universidad del Estado de Washington y una maestría y doctorado de la Universidad de Brigham Young. John y yo hemos servido como Presidente de Misión de tiempo completo acompañaos por nuestras compañeras eternas. Los dos fuimos sostenidos como Autoridades Generales en el Segundo Quórum de los Setenta en octubre de 1992, después fuimos llamados al Primer Quórum de los Setenta en abril de 1997. Ha sido nuestra dulce y sagrado privilegio de servir lado a lado en el Quórum de los Setenta.

Estaré eternamente agradecido a esos maravillosos amigos quienes me compartieron las verdades gloriosas del evangelio de Jesucristo en estos últimos días. Que bendecido es alguien con amigos que están dispuestos y ansiosos de compartir con ellos el regalo del evangelio, el cual hace posible el regalo de la salvación, "que es el mayor de todos los dones de Dios" (Doctrina y Convenios 14:7).

Elder John M. Madsen and Elder Gary J. Coleman outside the Church Administration Building. They first met in 1961. Far right: Gary Coleman as a young student, approximately at the time of his baptism and confirmation by John Madsen on November 17, 1962.
60

New Religion New Life

I longed for clarity and purpose in life, but to attend the discussion about Mormon doctrine would go against everything I had been taught.

BY ELDER GARY J. COLEMAN,
WITH ELDER JOHN M. MADSEN
Of the Seventy

One day in 1961, as a student at Washington State University, I walked across the campus and noticed an advertisement for a program featuring a discussion about various religions. The first topic was "Mormon Attitude on Life and Death," taught by John M. Madsen, a fellow student.

I had been raised in a devoutly religious home, and my family attended services regularly. My brothers and I participated faithfully as altar boys from age nine until we were young adults. During my youth the looming question was whether or not to enter into the ministry. When I was young, the bishop of our diocese said to me, "Gary, someday you will be a priest. In fact, someday you will become a bishop." Yet something in my heart moved me to weigh life as a priest against life as a husband and father with a family. Concerns about living a life of celibacy with no marriage and no family lingered deep in my soul. I longed for clarity and purpose in life.

PHOTOGRAPH BY MATTHEW REIER

Being Prepared

About a month before seeing the advertisement, I had met Judy England, a member of The Church of Jesus Christ of Latter-day Saints and a fellow student at the university. In our brief, initial visit together, she told me of her beliefs, her faith, and her hopes for the future. She spoke of a *true* Church, of forever families, a celestial kingdom, and eternal marriage. Though I was very religious, these concepts were totally new to me. Judy's love of the gospel showed in the way she lived and how she spoke of what she believed. Little did I know I was being prepared for the journey of conversion into the restored gospel and God's great plan of happiness.

Now I debated whether or not to attend the discussion about Mormon doctrine. My willful decision to listen to a presentation about a religion other than my own would be a grievous sin in the eyes of my religious leaders. The night of the program, I paced back and forth in the hall outside the lecture room for several minutes before entering. But once inside I learned about the plan of salvation, our premortal life, mortality, and resurrection to eternal life with God and Jesus and family. I admired the way John taught the principles of his religion.

Is It True?

What I heard seemed sacred and comforting, but I began to struggle with such concepts as true authority, true Church, true doctrine, true ordinances, and true scripture versus the teachings, creeds, and philosophies of men.

I continued to participate in my own church but began to seek more opportunities to learn about the Restoration. Judy and John were friends to me and examples of good

Above: John Madsen and Gary Coleman as students at the Washington State University Institute. Left: John in a portrait from that time.

Latter-day Saints. This was a new time in my life, a day of awakening from the traditions of my fathers into a world of truth and light. Over the next year I kept being drawn back to the principles of the gospel. I simply could not walk away. I had a great desire to learn more.

In the spring of 1962, when I was at practice as a member of the Washington State Cougars baseball team, John would often stop by to say hello, to wave or smile, and acknowledge me as a friend. My interest in Judy was also increasing, but the topic of religion kept me fearful of developing a relationship. Changing my religion was still not on my agenda.

That summer John gave me a copy of *A Marvelous Work and a Wonder* by Elder LeGrand Richards (1886–1983) to read while I was working in a United States Forest Service camp. Reading this book helped answer my questions about the purpose of life. The true doctrines of Christ and the Restoration of the gospel were opened further to me. I was impressed with the clarity of the teachings about the Godhead, priesthood authority and revelation, latter-day scripture, and the plan of redemption.

One Sunday that summer I was able to attend church services at John's ward and was welcomed with open arms. John was the teacher of the investigator class that day, and he taught about the Godhead. After Sunday School, John talked with me in the foyer just before I was to leave. He said, "Well, Gary? How do you feel?" I replied, "I feel I have known these things before!" Then John said, "Gary, you have. You knew these things before you came into this life."

When I returned to the university in the fall, John invited me to attend an early-morning seminary class

62

he was teaching for local high school students. This helped me gain a greater understanding of the truths of the restored gospel, the role of the Prophet Joseph Smith, the Book of Mormon, and the need for a restoration.

Gary and Judy Coleman in 1967. Judy was influential in introducing Gary to the restored gospel of Jesus Christ. They married in 1963 in the Cardston Alberta Temple.

Receiving an Answer

On Friday morning, November 2, 1962, in seminary class, John played a tape of a talk titled *Profile of a Prophet* by President Hugh B. Brown (1883–1975), then Second Counselor in the First Presidency. The previous weeks of seminary had quietly prepared me for this momentous experience in my life. During that sacred hour I gained a testimony of Joseph Smith as the Prophet of God through whom the gospel of Jesus Christ had been restored. Religious traditions I had been taught were overcome that morning by the witness I received concerning the truthfulness of the work of the Prophet. On that day in November, all of the principles and precious truths I had learned with respect to the Prophet Joseph Smith and the Book of Mormon converged in my mind and heart.

I returned to my apartment after that seminary class and sincerely, with real intent, having faith in Christ, poured out my soul to God and pleaded for His guidance and direction at this crucial point in my search for truth. During this act of faith and humility before God, the power of the Holy Ghost enveloped my entire being, burning out every doubt, fear, and concern as to what I must do. Feelings of relief and assurance swept over me, and I knew that my life was about to change dramatically. I returned to the seminary building and said to John, "I would like to join your Church." He arranged for the missionaries to teach me the discussions, and we set a date for my baptism.

My spiritual rebirth was real but also very painful. My parents and family were crushed as they learned of my decision to join the Church. Judy and John were thrilled, but now I was dealing with acceptance and joy on one side and rejection and disappointment on the other.

Conversion experiences are based upon three pillars: friends in the Church; responsibility through service; and nurturing through study, participation, and prayer. Thirty-five years after my baptism, President Gordon B. Hinckley listed these as necessary elements of conversion while speaking to the Church about missionary work and retention.[1] These same pillars were essential in my conversion.

Parallels

After I was baptized and as time has gone on, there have been many parallels between John's life and mine. I was able to further learn about priesthood service as John's junior companion in our home teaching assignments. He pursued a career in the Church Educational System, and so did I. In 1963 I married Judy in the Cardston Alberta Temple, and John married Diane Dursteler in the Salt Lake Temple. John and I both received bachelor's degrees from Washington State University and master's and doctoral degrees from Brigham Young University. John and I have served as full-time mission presidents accompanied by our eternal companions. Both of us were sustained as General Authorities in the Second Quorum of the Seventy in October 1992, followed by our calls to the First Quorum of the Seventy in April 1997. It has been our sweet and sacred privilege to serve side by side in the Quorums of the Seventy.

I shall be eternally grateful for the wonderful friends who brought me the glorious truths of the gospel of Jesus Christ in these latter days. How blessed is anyone with friends willing and eager to share with them the gift of the gospel, which makes possible the gift of salvation, "which gift is the greatest of all the gifts of God" (D&C 14:7). ■

NOTE

1. See "Converts and Young Men," *Ensign*, May 1997, 47.

Apéndice I

Mensajes Mormones en YouTube – Febrero 2009
Elder Gary J. Coleman, de los Setenta

En mis años formativos en mi familia, vivimos como miembros devotos de otra fe Cristiana. Fui bautizado como miembro de esa iglesia poco después de haber nacido. Nuestra familia asistía a la iglesia cada semana. Llegue a pensar que me uniría al ministerio de esa iglesia tiempo completo. No había ninguna duda en nuestras mentes de que pudiéramos definirnos como Cristianos devotos.

Cuando era estudiante de la universidad, sin embargo, conocí a los miembros y enseñanzas de La Iglesia de Jesucristo de los Santos de los Últimos Días, una fe Cristiana centrada en el Salvador. Empecé a aprender acerca de la doctrina de la Restauración del evangelio de Jesucristo en estos últimos días. Aprendí verdades que no había conocido antes que cambiaron mi vida y como veía el evangelio.

La primera verdad restaurada que aprendí como investigador de esta Iglesia fue la naturaleza de la Trinidad. Fue un despertar impresionante para mí finalmente comprender la verdad acerca de la naturaleza de Dios el Padre Eterno y de Su Hijo Unigénito.

La segunda verdad que aprendí como investigador de esta Iglesia fue la realidad de escrituras adicionales y revelación. El profeta Isaías vio en una visión un libro que él proclamó era parte e "¡una obra maravillosa y un prodigio!"[1] Yo testifico que el Libo de Mormón es un segundo testigo de Jesucristo.

Yo leí el Libro de Mormón por vez primera a la edad de 21. Entonces pregunté a Dios si era verdad. La veracidad de él me fue manifestada por el poder consolador del Espíritu Santo[2]. Yo sé que el Libro de Mormón es un segundo testigo de Jesucristo.

Otra verdad restaurada del evangelio que llegue a conocer fue la restauración de la autoridad del sacerdocio, o el poder de actuar en el nombre de Dios. Profetas y apóstoles anteriores tales como: Elías, Moisés, Juan el Bautista, Pedro, Santiago y Juan, han sido enviados por Dios y Jesucristo en nuestros días a restaurar el sagrado sacerdocio de Dios. Cada poseedor del sacerdocio en esta Iglesia puede trazar su autoridad del sacerdocio a Jesucristo.

Yo soy un Cristiano devoto que ha sido extremadamente afortunado de tener este conocimiento y bendición grandiosa en mi vida desde mi conversión a la Iglesia restaurada. Y, testifico de estas verdades en el nombre de Jesucristo, amén.

1. Véase Isaías 29:11-12, 14, 18
2. Moroni 10:4-5

Apéndice II

EL CRISTO VIVIENTE

El Testimonio de los Apóstoles

La Iglesia de Jesucristo de los Santos de los Últimos Días

Al conmemorar el nacimiento de Jesucristo hace dos milenios, manifestamos nuestro testimonio de la realidad de Su vida incomparable y de la virtud infinita de Su gran sacrificio expiatorio. Ninguna otra persona ha ejercido una influencia tan profunda sobre todos los que han vivido y los que aún vivirán sobre la tierra.

Él fue el Gran Jehová del Antiguo Testamento y el Mesías del Nuevo Testamento. Bajo la dirección de Su Padre, Él fue el Creador de la tierra. "Todas las cosas por él fueron hechas, y sin él nada de lo que ha sido hecho, fue hecho" (Juan 1:3). Aun cuando fue sin pecado, fue bautizado para cumplir toda justicia. Él "anduvo haciendo bienes" (Hechos 10:38) y, sin embargo, fue repudiado por ello. Su Evangelio fue un mensaje de paz y de buena voluntad. Él suplicó a todos que siguieran Su ejemplo. Recorrió los caminos de Palestina, sanando a los enfermos, haciendo que los ciegos vieran y levantando a los muertos. Enseñó las verdades de la eternidad, la realidad de nuestra existencia premortal, el propósito de nuestra vida en la tierra y el potencial de los hijos y de las hijas de Dios en la vida venidera.

Instituyó la Santa Cena como recordatorio de Su gran sacrificio expiatorio. Fue arrestado y condenado por acusaciones falsas, se le declaró culpable para satisfacer a la multitud y se le sentenció a morir en la cruz del Calvario. Él dio Su vida para expiar los pecados de todo el género humano. La Suya fue una gran dádiva vicaria en favor de todos los que habitarían la tierra.

Testificamos solemnemente que Su vida, que es fundamental para toda la historia de la humanidad, no comenzó en Belén ni concluyó en el Calvario. Él fue el Primogénito del Padre, el Hijo Unigénito en la carne, el Redentor del mundo.

Se levantó del sepulcro para ser las "primicias de los que durmieron" (1 Corintios 15:20). Como el Señor Resucitado, anduvo entre aquellos a los que había amado en vida. También ministró entre Sus "otras ovejas" (Juan 10:16) en la antigua América. En el mundo moderno, Él y Su Padre aparecieron al joven José Smith, iniciando así la largamente prometida "dispensación del cumplimiento de los tiempos" (Efesios 1:10).

Del Cristo Viviente, el profeta José escribió: "Sus ojos eran como llama de fuego; el cabello de su cabeza era blanco como la nieve pura; su semblante brillaba más que el resplandor del sol; y su voz era como el estruendo de muchas aguas, sí, la voz de Jehová, que decía:

"Soy el primero y el último; soy el que vive, soy el que fue muerto; soy vuestro abogado ante el Padre" (D. y C. 110:3–4).

De Él, el Profeta también declaró: "Y ahora, después de los muchos testimonios que se han dado de él, éste es el testimonio, el último de todos, que nosotros damos de él: ¡Que vive!

"Porque lo vimos, sí, a la diestra de Dios; y oímos la voz testificar que él es el Unigénito del Padre;

"que por él, por medio de él y de él los mundos son y fueron creados, y sus habitantes son engendrados hijos e hijas para Dios" (D. y C. 76:22–24).

Declaramos en palabras de solemnidad que Su sacerdocio y Su Iglesia han sido restaurados sobre la tierra, "edificados sobre el fundamento de… apóstoles y profetas, siendo la principal piedra del ángulo Jesucristo mismo" (Efesios 2:20).

Testificamos que algún día Él regresará a la tierra. "Y se manifestará la gloria de Jehová, y toda carne juntamente la verá" (Isaías 40:5). Él regirá como Rey de reyes y reinará como Señor de señores, y toda rodilla se doblará, y toda lengua hablará en adoración ante Él. Todos nosotros compareceremos para ser juzgados por Él según nuestras obras y los deseos de nuestro corazón.

Damos testimonio, en calidad de Sus apóstoles debidamente ordenados, de que Jesús es el Cristo Viviente, el inmortal Hijo de Dios. Él es el gran Rey Emanuel, que hoy está a la diestra de Su Padre. Él es la luz, la vida y la esperanza del mundo. Su camino es el sendero que lleva a la felicidad en esta vida y a la vida eterna en el mundo venidero. Gracias sean dadas a Dios por la dádiva incomparable de Su Hijo divino.

LA PRIMERA PRESIDENCIA

EL QUÓRUM DE LOS DOCE

1 de enero de 2000

Apéndice III

La Iglesia de Jesucristo de los Santos de los Últimos Días

LA FAMILIA

UNA PROCLAMACIÓN PARA EL MUNDO

La Primera Presidencia y el Consejo de los Doce Apóstoles de La Iglesia de Jesucristo de los Santos de los Últimos Días

NOSOTROS, LA PRIMERA PRESIDENCIA y el Consejo de los Doce Apóstoles de La Iglesia de Jesucristo de los Santos de los Últimos Días, solemnemente proclamamos que el matrimonio entre el hombre y la mujer es ordenado por Dios y que la familia es fundamental en el plan del Creador para el destino eterno de Sus hijos.

TODOS LOS SERES HUMANOS, hombres y mujeres, son creados a la imagen de Dios. Cada uno es un amado hijo o hija procreado como espíritu por padres celestiales y, como tal, cada uno tiene una naturaleza y un destino divinos. El ser hombre o el ser mujer es una característica esencial de la identidad y del propósito premortales, mortales y eternos de la persona.

EN EL MUNDO PREMORTAL, hijos e hijas, procreados como espíritus, conocieron a Dios y lo adoraron como su Padre Eterno, y aceptaron Su plan por medio del cual Sus hijos podrían obtener un cuerpo físico y ganar experiencia terrenal para progresar hacia la perfección y finalmente lograr su destino divino como herederos de la vida eterna. El divino plan de felicidad permite que las relaciones familiares se perpetúen más allá del sepulcro. Las ordenanzas y los convenios sagrados disponibles en los santos templos hacen posible que las personas regresen a la presencia de Dios y que las familias sean unidas eternamente.

EL PRIMER MANDAMIENTO que Dios les dio a Adán y a Eva se relacionaba con el potencial que, como esposo y esposa, tenían de ser padres. Declaramos que el mandamiento de Dios para Sus hijos de multiplicarse y henchir la tierra permanece en vigor. También declaramos que Dios ha mandado que los sagrados poderes de la procreación han de emplearse sólo entre el hombre y la mujer legítimamente casados como esposo y esposa.

DECLARAMOS que los medios por los cuales se crea la vida mortal son divinamente establecidos. Afirmamos la santidad de la vida y su importancia en el plan eterno de Dios.

EL ESPOSO Y LA ESPOSA tienen la solemne responsabilidad de amarse y de cuidarse el uno al otro, así como a sus hijos. "...herencia de Jehová son los hijos" (Salmo 127:3). Los padres tienen el deber sagrado de criar a sus hijos con amor y rectitud, de proveer para sus necesidades físicas y espirituales, y de enseñarles a amarse y a servirse el uno al otro, a observar los mandamientos de Dios y a ser ciudadanos respetuosos de la ley dondequiera que vivan. Los esposos y las esposas, las madres y los padres, serán responsables ante Dios del cumplimiento de estas obligaciones.

LA FAMILIA es ordenada por Dios. El matrimonio entre el hombre y la mujer es esencial para Su plan eterno. Los hijos merecen nacer dentro de los lazos del matrimonio y ser criados por un padre y una madre que honran sus votos matrimoniales con completa fidelidad. La felicidad en la vida familiar tiene mayor probabilidad de lograrse cuando se basa en las enseñanzas del Señor Jesucristo. Los matrimonios y las familias que logran tener éxito se establecen y se mantienen sobre los principios de la fe, de la oración, del arrepentimiento, del perdón, del respeto, del amor, de la compasión, del trabajo y de las actividades recreativas edificantes. Por designio divino, el padre debe presidir la familia con amor y rectitud y es responsable de proveer las cosas necesarias de la vida para su familia y de proporcionarle protección. La madre es principalmente responsable del cuidado de sus hijos. En estas sagradas responsabilidades, el padre y la madre, como compañeros iguales, están obligados a ayudarse el uno al otro. La discapacidad, la muerte u otras circunstancias pueden requerir una adaptación individual. Otros familiares deben brindar apoyo cuando sea necesario.

ADVERTIMOS que las personas que violan los convenios de castidad, que maltratan o abusan de su cónyuge o de sus hijos, o que no cumplen con sus responsabilidades familiares, un día deberán responder ante Dios. Aún más, advertimos que la desintegración de la familia traerá sobre las personas, las comunidades y las naciones las calamidades predichas por los profetas antiguos y modernos.

HACEMOS UN LLAMADO a los ciudadanos responsables y a los funcionarios de gobierno de todas partes para que fomenten aquellas medidas designadas a fortalecer a la familia y a mantenerla como la unidad fundamental de la sociedad.

Apéndice IV

Guía para marcar el Libro de Mormón

(Evidencia de que el Libro de Mormón es Otro Testamento de Jesucristo)

Página	**Versículos**
21	27, 31, 33
59	25
73-75	13-15, 21-23, 28-29
109-110	3, 8
113-114	5, 17
115	9
116-117	10-11
151-153	5, 8, 17,19
201	25-26
225	14-16
236	40-41
283-285	43-44, 49, 52, 60
289	17-18, 21, 26-27
295	32
308	11-14
377-378	9-12
428-430	8, 10, 22-26, 33-34
438	21-24
443	15-21
459-460	19-22
464	6-7
485-486	16-17, 19, 21
495	11-12
520	2-3
529	4-5
531	32-33

Los misioneros le enseñarán como orar. Pregúntenle a Dios, con un corazón sincero y fe en Cristo, acerca de la veracidad de la cosas que han leído. Continúen con las charlas con los misioneros para que sepan como participar de la plenitud del evangelio restaurado de Jesucristo.

Apéndice V

La verdad ha sido restaurada
Gary J. Coleman
Presidente de Misión
Misión California Arcadia
1º de julio 1987 – 30 de junio 1990

RELATOS DE CONVERSIÓN

Nuestro Reporte de Mayordomía

Como Presidente de Misión y familia, le pedimos al Señor que nos ayudara a ser misioneros y que nos concediera que nuestra familia pudiera ayudar a alguien para que aprendiera acerca del evangelio y que se pudieran unir a la Iglesia cada mes de nuestra misión de 36 meses. El Señor ha sido bueno con nosotros, los siguientes relatos de fe en la obra misional sirven para ilustrar Su bondad hacia Sus siervos. El Señor nos ha concedido una cosecha de almas que ha excedido nuestras metas para esta experiencia misional.

Patoch

El Elder Thane Attley me pidió que ayudara a su compañerismo con la enseñanza de Patoch, un ministro de la Iglesia Húngara Reformada. Al prepararme para ir a la cita, empecé a orar acerca de mi participación en la plática. Me llegó la impresión de que él me haría dos preguntas: "¿Por qué debería sujetarse a ser enseñado por estos dos jóvenes quienes no habían recibido la capacitación ni habían estudiado religión como él lo había hecho", y "¿Cómo manejaría sus asuntos si él se uniera a la Iglesia y perdiera sus ingresos como ministro?" Medité sobre estos sentimientos y pensé en algunas escrituras que pudieran ayudar a resolver estas inquietudes.

Al llegar a su hogar en Covina, los Elderes y yo fuimos recibidos muy atentamente. Después de la oración, los Elderes empezaron a enseñar la cuarta plática, y yo escuchaba y disfrutaba de su presentación. De repente el Sr. Patoch se volvió a mí y declaró, "Yo soy un ministro capacitado y ordenado. ¿Por qué debo someterme a ser enseñado por estos dos jóvenes quienes no han sido capacitados en teología como yo lo he sido? Me maraville ante la pregunta y procedí a repasar varias escrituras que habían llegado a mi mente momentos antes mientras iba en camino a la cita. Pareció estar satisfecho con la explicación y los Elderes continuaron con la plática. Unos momentos después, nuevamente se volvió hacia mí y preguntó: "¿Si me uno a esa Iglesia, cómo podré manejar mi vida y obtener un ingreso, porque seré forzado a dejar mi ministerio?" Nuevamente pensé en la impresión que había recibido anteriormente y repasé algunas escrituras más con él que se relacionaban con el problema. Satisfecho, les pidió a los Elderes que continuaran con la plática.

Varios días después, Elder Attley me llamó para preguntarme si estaba libre el sábado por la mañana a las 11:00. "Al Hermano Patoch le gustaría que asistiera a su bautismo". Verdaderamente nuestro Padre Celestial tenía una obra para que hiciera en otro lugar en donde su fe fuera completamente reconocida.

Christine

Llegó a mi oficina con el Presidente Nilsen de la Presidencia de Estaca de Pasadena. Christine, una profesional en un laboratorio de propulsión de jets llegó buscando consejo acerca de cómo una mujer Católica podría resolver inquietudes personales. El Presidente Nilsen le había hablado acerca de mis antecedentes como Católico y le sugirió que me visitara acerca del asunto. Nuestra conversación llegó a su fin después de una hora y entonces le sugerí que orara al respecto para recibir una solución de mayor alcance para sus necesidades. Aceptó un Libro de Mormón y prometió hablar conmigo después. Ella me llamó varias veces buscando consejo. Otra llamada fue para pedirme una cita en mi oficina nuevamente. Al llegar, ella dijo: "No vine a verlo para hablar sobre mi problema. ¡Vine a verlo para que me ayude a aprender acerca de la Iglesia! Inmediatamente hice los arreglos necesarios con los misioneros. Le enseñaron y la prepararon para el bautismo en tres semanas. Radiante y llena de gozo, ella buscó entrar a Reino de Dios con mucho interés.

La noche de su bautismo llame a la Familia Don Castleton en Ogden, Utah, y cuando Christine entro a la Iglesia para el servicio bautismal, le pedí que hablara con Lola Castleton por teléfono. La Hermana Castleton preguntó: "¿Tu quien eres y qué estás haciendo en la Iglesia?" Christine respondió que había leído el Libro de Mormón que la Familia Castleton había donado a ella a través del Presidente Coleman, y que ¡estaba en la Iglesia para ser bautizada! Fue un momento de mucho gozo para ambas hermanas, y se derramaron muchas lágrimas al iniciarse una relación estrecha a distancia.

Dr. Morales

La familia de doctores – Mariana, psicóloga y Felipe médico general. Mariana y su hija se habían unido a la Iglesia en San Marino un año antes de que llegáramos a la Misión California Arcadia. Judy y yo los conocimos inmediatamente a través de actividades y reuniones sociales con los miembros. El 6 de abril, Dick Spencer, el Presidente de Misión de la Estaca Pasadena y yo visitamos la casa de estas personas varias veces. Usando varios principios de "ayudar a otros a sentir y reconocer al espíritu", ¡desafiamos al doctor a ser bautizado el 17 de abril! (él dice que ¡se rió en su corazón al escuchar esa propuesta absurda!) Al prepararnos para irnos, alguien tocó a su puerta y su esposa fue a abrir y se encontró con dos de nuestros misioneros. Los misioneros se sorprendieron de ver ¡que el Presidente de la Misión ya estaba allí! El Doctor hizo arreglos para que los misioneros los visitaran tres veces durante la siguiente semana. Regresé unos días después con el Presidente de Estaca, como mi compañero. Oramos juntos, cantamos y dimos nuestros testimonios, expresamos nuestro amor, etc., y recibimos la seguridad de que se estaba progresando.

Mientras tanto, los dos miembros, estaban experimentando gran agitación en su vida a través de todo tipo de persecución. Stella nos marcó expresando mucha alarma respecto a la seriedad de los eventos. Le aseguré que todo estaría bien y que su esposo sería bautizado. Los Elderes terminaron de dar las charles a tiempo y Enrique me marcó a media semana para invitarme a participar en su bautismo el 17 de abril. A la siguiente semana fue ordenado y recibió un llamamiento para servir como misionero de estaca con su esposa y siguió avanzando de manera maravillosa. Nunca olvidaré la mano del Señor en este bautismo. Fueron expresados palabras de fe con autoridad y el corazón del hombre fue suavizado. Varios meses después de su bautismo, le marqué a este querido hermano para invitarle a ofrecer una oración en una charla fogonera latina. El se rehusó. Me inquieté mucho y repetí mi petición. Él respondió: "No puedo estar en esa charla fogonera esa noche, Presidente. Voy a estar con mi esposa en nuestra primera clase de preparación para el templo".

Rodríguez

El Elder Mumford y yo visitamos a la Familia Rodríguez en West Covina una noche para enseñar la primera charla a tres niños. Al finalizar la charla, le pregunté a la mamá y a los niños cómo se sentían con las cosas que habían aprendido. Percibiendo la sinceridad acerca del evangelio, le pregunté al Elder si tenía alguna pregunta para ellos antes de que nos fuéramos. "¿Elder cree que deberíamos preguntarles acerca de una fecha de bautismo?" pregunté. Él habló acerca de una fecha bautismal para dos semanas después y tuvo el privilegio de efectuar la ordenanza como había sido programada.

Mike

El 29 de noviembre me uní a los líderes del sacerdocio de la Estaca Covina para hacer visitas misionales. El Obispo Brown y yo fuimos asignados a visitar a la familia de Mike. Su esposa se había unido a la Iglesia hacía muchos años antes. Su esposo Católico nunca había escuchado las charlas, aunque apoyaba a su esposa en la Iglesia. Al visitar a Mike, pudimos sentir un espíritu de amor y aceptación en el lugar. Hablamos acerca de los principios del evangelio así como el impacto eterno que tenían sobre él y su esposa. Al finalizar, desafié a Mike a recibir las charlas de los misioneros, y para mi gran gozo, él aceptó el desafío. Durante los tres meses siguientes el avanzaba hacia su bautismo. A mediados de febrero me marcó para invitarme a discursar en su servicio bautismal. Una pareja muy gozosa asistió a su bautismo ese domingo por la tarde. La capilla estaba llena de amigos y santos que habían ido para presenciar este acontecimiento glorioso. Mike de setenta y dos años estaba ahora iniciando una nueva vida con su querida compañera.

Ekstrom

Elder Tobey y yo visitamos a la Familia Ekstrom ya que los había conocido previamente en la Conferencia de la Estaca Glendora. Su hijo estaba sirviendo una misión de tiempo completo, pero ellos no eran miembros de la Iglesia. Cantamos, leímos escrituras, oramos, dimos nuestros testimonios y tuvimos una visita dulce. Estaba presente una nieta enferma y la Hna. Ekstrom preguntó si había algo que pudiéramos hacer por ella. Elder Tobey y yo la bendijimos y ella sanó de manera maravillosa esa misma noche. Regresamos una y otra vez durante el curso de varios meses, le encontramos un trabajo al Hno. Ekstrom, le dimos una bendición a la Hermana para ayudarla con el problema de la Palabra de Sabiduría y les servimos con nuestra fe y oraciones.

Que día tan gozoso cuando el Hno. Ekstrom me marcó para proclamar que él y su esposa estaban listos para ser bautizados. Fue un momento especial para muchas personas que habían trabajado con esta excelente pareja durante años.

Hna. Marty

Marty llegó a una Charla Fogonera del Presidente de Misión. Ella había sido una monja de la Iglesia Católica previamente y estaba llena de preguntas acerca del evangelio restaurado. Elder Brunson trabajó con ella y la animó con una fe poderosa. Ella y yo tuvimos varias visitas y ella me compartió una historia de fe y devoción mientras servía en su iglesia. El plan del evangelio fue un imán poderoso para su alma elegida y su bautismo fue un evento de mucho gozo. La Hna. Marty estaba por fin en su hogar en la Iglesia del Señor.

El Contacto del Hospital

Como era una ocurrencia frecuente, la Hna. Coleman yo nos encontrábamos en el Hospital Metodista en Arcadia con Elder Lake y Elder Beard. Elder Lake tenía dos huesos rotos en una mano debido a un accidente en su bicicleta y estaba siendo atendido en emergencias. Después de algún tiempo, yo estaba en la farmacia comprando los medicamentos cuando conocí a Carla, una enfermera del hospital quien había ido brevemente a la farmacia también. Al obtener su nombre y dirección y notando su interés en nuestro trabajo, enviamos a los mismos élderes a su familia poco tiempo después. Su esposo fue rápido en poner un alto a más visitas a su hogar. El nombre de la familia pasó a la parte posterior de su libro de área y pasaron dos años.

Una noche que llegaba tarde a la casa, Judy me dijo que tenía que marcar un número. Protesté, notando lo tarde que era, ella sin embargo, me aseguró que estaba bien y que era necesario. "Habla Carla", respondió la señora. "Usted de seguro no recuerda que ¡nos conocímos en el hospital hace varios años!" Memoria invadieron mi mente. "Solo pensé Presidente Coleman que le gustaría saber. Hemos sido un poco lentos, pero mi esposo y yo así como nuestros dos hijos ¡seremos bautizados el próximo domingo por la tarde!" Que tarde tan especial fue en verdad, al entrar esta gran familia a las aguas bautismales.

La Familia Findley

Fue una cita tarde en la noche, pero los Elderes Tilley y Cardon insistieron en que la Familia Findley quería hacerme unas preguntas acerca de mi conversión y de cómo me sentía por haber dejado la iglesia Católica. Fue una hora hermosa con ellos, les aseguré que Dios sabía de sus luchas y que les ayudaría a tomar la decisión correcta. El Presidente Mel Reeves y su familia fueron unos ayudantes especiales con esta familia escogida. Esta familia de cuatro fue bautizada dos semanas después de nuestra visita y los líderes de estaca y barrio estaban tan contentos con la recompensa de sus esfuerzos de hermanamiento durante varios años pasados.

Scott

¿Quién puede olvidar a Scott – un atleta, erudito, Católico – luchando para aceptar el mensaje del evangelio como estudiante de la universidad? Lo visitamos, le escribimos, le hablamos por teléfono y lo tranquilizamos. ¿Cuáles eran los riesgos? Amenazas de cortar los vínculos familiares, la pérdida de su beca, etc. Él y yo nos identificábamos. Creció nuestra amistad y nuestras visitas eran especiales. Su bautismo fue un acto maravilloso de fe al iniciar su camino a una nueva vida lejos de la seguridad y comodidad de todas las asociaciones previas y entornos.

Jamie

¡Que experiencia tuvimos Elder Steele y yo esa tarde al enseñar a Jamie y Joe! "Jamie, tu no te puedes bautizar a menos que ya no vivas con Joe. Deben estar casados o no pueden vivir juntos". Fue una situación en donde no se podía hacer ningún tipo de negociación, pero pudo prevalecer la manera del Señor. Un joven adulto siguió el consejo, el barrio de adultos solteros la apoyó, se efectuó su bautismo y otra alma entró por el camino angosto.

Lisa

Judy y yo conocimos a Lisa en la Conferencia de la Estaca de LaVerne. La visitamos varias veces después y le ayudamos a resolver sus inquietudes. Animamos a los misioneros a ser pacientes con ella y entender su lucha. ¡Ella está ahora feliz como un Santo de los Últimos Días! El evangelio es para todos los hijos de nuestro Padre.

Doctores Dobles

Su esposa se estaba muriendo de cáncer y su preocupación era que no había traído a nadie a la Iglesia como miembro misionero. El Patriarca Brown resolvió que su funeral sería un esfuerzo misional en su memoria. El Dr. Brown tuvo muchos amigos profesionistas en el funeral, incluyendo dos médicos quienes eran un matrimonio. El Patriarca le pidió a los Presidentes de Misión y del Templo discursar en el funeral. Acabábamos de llegar al campo misional y no conocíamos a nadie en la Estaca Hacienda Heights. ¿Quién era el Dr. Brown? ¿Quién era la Hermana Brown? Yo acepté discursar para cumplir el propósito que me explicó este esposo fiel. El plan de salvación sería enseñado a sus amigos y conocidos en ese día especial.

Solo unos días después del servicio, los doctores contactaron al Dr. Brown acerca del acontecimiento transcurrido así como de sus sentimientos en cuanto a las enseñanzas de la Iglesia. Fueron contactados los elderes.

Las charlas fueron presentadas, Judy y yo les visitamos y los tranquilizamos y otros miembros los apoyaron en sus necesidades. Esta dulce experiencia fue repetida como lo ha sido durante siglos. Se efectuó la sagrada ordenanza del bautismo a favor de dos personas que se habían humillado ante el Señor en la manera prescrita. La compañera fallecida del Dr. Brown pudo cumplir con su deseo después de todo.

Gerald

¿En dónde sino en California podíamos conocer a Rusos Armenios en Glendale? Gerald, había sido un Sacerdote en la Iglesia Armenia Ortodoxa en su país por más de diez años, fue encontrado por nuestros misioneros al estar folleteando, en particular por Elder John de Nueva Zelanda. Él me pidió que me reuniera con Gerald en varias ocasiones y nuestra amistad floreció como hermanos al compartir nuestras luchas para convertirnos. Su bautismo fue recibido con júbilo por la comunidad de santos en Glendale. Me marcó cuando fue ordenado al Sacerdocio Aarónico y nuevamente cuando fue ordenado al Sacerdocio de Melquisedec y claro, también cuando entró por primera vez al Templo de Los Ángeles para recibir sus convenios sagrados. ¡Cuánto amo a Jerry!

Joe

Los elderes persuadieron a un señor mayor a asistir a una charla fogonera especial en el Centro de Estaca La Crescenta. El Presidente y la Hna. Coleman eran los discursantes y estaban recibiendo a las personas dándoles la bienvenida. Después de la Charla, Joe les compartió a los misioneros como su corazón había sido tocado y que quería ser bautizado. ¿Hay algo tan difícil para el Señor?

María

Una tarde de domingo hubo una Charla Fogonera en la casa del obispo a la cual asistieron muchos miembros y una joven adulta latina hermosa. Durante el curso de la tarde en varias ocasiones dirigí mi testimonio específicamente a ella en varias ocasiones. Mientras estaba tomando ponche y unas galletas antes de dejar la casa del obispo, uno de los élderes dijo que María quería hablar conmigo en privado. Nuestra conversación se centró en los sentimientos que había tenido durante la Charla Fogonera. "Sentí que su mensaje es verdadero", dijo ella, " quiero que los misioneros me enseñen ¡para que pueda estar preparada para unirme a la Iglesia!" El Señor en verdad bendice a sus siervos quienes busquen dar testimonio de Su evangelio restaurado.

Carina

Siempre recordaré la cajera bajita del banco al que iba en Arcadia. Hablar acerca del evangelio en la caja es un desafío, pero ella siempre fue muy receptiva. "¿Qué tienes un novio Mormón, Carina? ¿Cuándo te vas a unir a la Iglesia?"

"De ninguna manera", ella respondió, "Soy Católica. Mi familia nunca aceptará que esto suceda". Le hablé acerca del templo, le pasé literatura, planté semillas de fe, vez tras vez. Ella se casó y cambio su lugar de residencia y me quede pensando qué le habría pasado. La Hermana Martínez me marcó un día y me dijo que le estaba enseñando a una mujer joven quien estaba casada con un excelente hombre SUD. Pregunté su nombre. "Su nombre es Carina". ¡Mi corazón dio un vuelco! Acaso ¿podría tratarse de mi amiga de dos años, Carina? Le pedí a la Hna. Martínez que le preguntara si ella había trabajado en un banco en Arcadia. Me comunicaron que Carina era mi cajera de oro y su bautismo fue causa de gran emoción por los miembros de la Rama Hispana de Covina. La vi unas semanas después. Su esposo está en la presidencia del Quórum de Élderes y Carina está sirviendo como Secretaria en la Sociedad de Socorro. "Ah si, ella dijo, "vamos a ir al templo tan pronto como cumpla el año en la Iglesia". Todavía se me llenan los ojos de lágrimas cuando pienso en su crecimiento, desarrollo y fe para unirse a la Iglesia.

Una joven familia

Noté a un padre joven pararse incómodo cerca del foro cargando a un niño pequeño. El Espíritu me inspiró a hablar con él. Él estaba allí con su esposa e hijos. Él era un miembro menos activo y su esposa Beatriz no era miembro. "¿Estamos fuera de lugar?" preguntó mostrando preocupación por la manera en que iban vestidos. Los miembros estaban vestidos con su ropa de domingo y él y su esposa iban más casuales. "Esta reunión es para ustedes", le aseguré. "Están perfectamente bien y son bienvenidos". Los llevamos adentro para la presentación y Judy y yo entonces procedimos a discursar en la Charla Fogonera para futuros miembros de la Estaca Covina. Después de nosotros presentaron un video "Juntos para Siempre". Cuando se inició el video en el salón oscuro escuche el llanto de un niño pequeño cerca de la parte trasera de la capilla. Rápidamente me acerqué a la mamá. Era Beatriz con Daniel, el bebé. Le pregunté que si lo podía cargar mientras se mostraba el video. Ella sintió que Daniel no se vendría conmigo ya que nunca había permitido que alguien lo cargara antes. "Usted necesita escuchar el mensaje de este video", le aseguré. "Daniel y yo estaremos perfectamente". Cargue al pequeñito quien tenía un añito de haber llegado de su hogar celestial, durante la siguiente media hora y nos comunicamos en el idioma celestial de espíritus pequeñitos. Después del video la mamá salió al vestíbulo y se regocijó al ver que Daniel y yo estábamos bien.

En su bautismo, tres semanas después Beatriz nos dio nuevamente las gracias por la oportunidad que había tenido de sentir el espíritu del Señor esa noche así como la experiencia inusual que el Presidente de Misión había tenido con Daniel. Un simple acto de servicio a una joven mamá y a su hijo proporcionó la oportunidad para que el evangelio fuera sembrado en un corazón agradecido. De seguro que siempre nos regocijaremos con esta experiencia para siempre.

Los Covacks

Ellos habían sido visitados muchas veces. Los élderes incluso ya les habían dado las seis charlas, pero los Covacks tenían algunas inquietudes serias que resolver, de modo que el tiempo para ser bautizados paso al olvido. Las semanas se convirtieron en meses. El Presidente de Misión de Estaca y yo fuimos a visitarlos en repetidas ocasiones. Siempre nos decían: "La próxima vez, vuelvan a intentarlo, vengan después, no hay nadie en casa etc". El Presidente McCook obtuvo una nueva cita con ellos. Oramos, expresamos palabras de fe y nos aseguramos el uno a otro que el Señor nos ayudaría, ¡ellos estaban en casa! ¡Fueron receptivos! Les expresamos osadamente los sentimientos de nuestro corazón. " Hermano y Hermana Covack, el Señor les ama y los recibirá en Su Iglesia. Esto es lo que deben hacer". Leímos las escrituras juntos, oramos, les dimos nuestro testimonio, les dimos confianza, los animamos y ¡los comprometimos para que fueran bautizados!

"¿Podría ser el 21 o estaría mejor el 15?" Su pregunta nos emocionó. Los misioneros nuevamente les dieron las charlas y se logró el bautismo de dos hijos especiales de Dios. El evangelio cambia vidas, derrumba las barreras y hace que los miedos e inquietudes viejas se resuelvan. Esta es una obra escogida.

Paul

Paul estaba casado con Cari por 21 años. Paul era un Católico devoto quien respetaba las raíces Mormonas de su esposa y permitía que sus hijos fueran creados e influenciados por la Iglesia. Paul aceptada asignaciones en los Scouts y otros programas de la Iglesia en donde podía servir a sus hijos y crecer en el evangelio. Lo conocimos poco después de haber llegado a California en julio de 1987. Nuestro primer encuentro fue en la sala de su casa en donde tenía un montón de materiales en la mesa de centro. Como abogado que era, tenía muchas preguntas y quería respuestas concisas para resolver sus inquietudes. Nos reunimos con él una y otra vez. Nuestros antecedentes eran similares, y era evidente que estábamos estableciendo un vínculo. Pasaron los meses y habíamos tenido alguna visita, una llamada, una reunión, una oración juntos y así seguían las cosas. Todos los misioneros que fueron asignados a su barrio fueron asignados a testificarle y a enseñarle. Su hijo, fue llamado a una misión y Paul habló en su despedida. Pero el necesitaba ser bautizado.

El domingo, 3 de junio de 1990, mientras regresaba de una reunión de correlación misional de estaca en LaVerne, me llegó la impresión de invitar a Paul y a Teri a la graduación de Instituto esa noche y preparé mis comentarios para dirigirlos a Paul. Cuando llegue a casa, le marqué a su esposa y le aseguré que él tenía que asistir a la reunión porque habría un mensaje especial para el del Señor. Él llegó, y sin mencionar su nombre, lo desafié a que se preparara para ser bautizado el 17 de junio (Día del Padre) y a que condujera a su familia en rectitud desde ese día en adelante. El Presidente James ayudo esa noche en comprometerlo aun más para que se preparara a ser bautizado. En las siguientes dos semanas, muchas personas le hablaron palabras de fe, amor y testimonio a nuestro querido amigo. Hasta la mañana del sábado 16 de junio, él todavía estaba dudoso, pero el Presidente John Allen de la Presidencia de Estaca de la Estaca Hacienda Heights recibió un compromiso en firme de Paul después de una visita de dos horas. El Día del Padre, el 17 de junio, en presencia de cinco obispos anteriores, más de 100 amigos y miembros de su familia, Paul fe bautizado y todos los que estuvieron presentes se regocijaron. Fue notificado su hijo en el CCM, que su primer bautismo, aun cuando fue efectuado por otra persona, había sido su padre.

Familia Latina

El Elder Liffreths me marco para preguntarme, "Presidente, ¿nos podría ayudar a enseñar a una hermosa familia Católica aquí en Walnut? El padre quiere hablar con usted porque le hemos dichos que usted fue Católico". El Hermano y su familia habían sido enseñados durante varias semanas por los misioneros. Fue una gran bendición para mi conocer a esta familia escogida: el padre, la madre, un hijo y dos hijas. Ellos eran muy sinceros en cuanto a las charlas y al crecimiento dentro del evangelio. Para mí fue claro que el Hermano era un hombre de fe y estaba muy preocupado por dirigir a su familia en rectitud. Fue un gozo muy grande ver como dirigía a su familia siendo el primero en ser bautizado. En tan solo unos días fue ordenado y poco tiempo después el bautizó a su esposa e hijos.

Apéndice VI

Carta VII- de Oliver Cowdery acerca de Cumorah

Debo darle ahora alguna descripción del lugar y la forma en que estos registros fueron depositados.

Usted se ha familiarizado con la ruta postal desde Palmyra; Wayne, Co., hasta Canandaigua, Ontario, Co. N. Y, y también cuando pasó el último lugar, antes de llegar al pequeño pueblo de Manchester, por decir tres o cuatro, o cerca de cuatro millas desde Palmyra, usted pasó por un cerro grande, al lado este de la ruta. Digo que es grande porque es grande, tal vez, como cualquier otro en ese condado.

Para una persona a la que le es familiar esa ruta, una descripción sería innecesaria, ya que ese cerro es el más grande y alto en elevación en esa ruta...Creo que estoy bien al decir que es el cerro más alto en cierta distancia alrededor, y estoy seguro de que su apariencia, al surgir de pronto desde la planicie al norte, debe atraer la atención de los viajeros que pasan.

Cerca de una milla hacia el oeste se levanta otra elevación menos alta, paralela a la anterior, que forma un hermoso valle en medio...Aquí, entre estos dos cerros, todo el poder y la fortaleza nacional de los jareditas y nefitas, fueron destruidos.

Al leer las páginas 639 y 640 del Libro de Mormón, se puede leer el relato de Mormón sobre la última gran batalla de su pueblo, cuando ellos estaban acampados alrededor del cerro Cumorah. (Se ha impreso como ¨Camorah¨, lo cual es un error). En ese valle cayeron lo que quedaba de la fortaleza y del orgullo del que alguna vez fue un poderoso pueblo, los nefitas, que alguna vez fueron altamente favorecidos por el Señor, pero que en ese tiempo de obscuridad fueron condenados a sufrir el exterminio a manos de sus bárbaros e incivilizados hermanos. Desde la cima de este cerro, Mormón, junto con otros pocos, después de la batalla, contempló con horror las esparcidas ruinas de aquellos que, un día antes, estaban llenos de ansiedad, de esperanza, de dudas....Mormón mismo, de acuerdo al registro de su hijo Moroni, fue también asesinado....Sin embargo, él, por asignación divina, compendió esos registros en su propio estilo e idioma; un relato corto de lo más importante y prominente; desde los días de Lehi hasta su propia época, después de lo cual él depositó todos los registros en ese mismo cerro Cumorah, como se relata en la página 639; y después le dio su pequeño registro a su hijo Moroni, quien, al parecer con eso mismo, terminó el registro, después de atestiguar la extinción de su pueblo como nación.

Ese cerro fue llamado Ramah por los jareditas; cerca de él, o alrededor de él, el famoso ejército de Coriántumr plantó sus tiendas. Coriántumr fue el último rey de los jareditas. El ejército opositor estaba al oeste, y en este mismo valle y cerca. Dia con día esa furiosa carrera vertía la sangre en ira, contendiendo hermano contra hermano, el padre contra el hijo. En este mismo lugar, con una vista completa desde la cima de este mismo cerro, uno puede mirar con asombro hacia abajo, donde dos veces se cubrió con los muertos y agonizantes hermanos nuestros. Aquí puede verse donde una vez el orgullo y la fortaleza de dos naciones poderosas se hundieron inútilmente; y aquí puede ser contemplado en soledad; mientras que solo el registro fiel de Mormón y Moroni es ahora lo que existe para informarnos de los hechos, de las escenas de desdicha y de angustia...

En este valle yacen mezclados, en una masa de ruinas, las cenizas de miles; y en este valle fueron destinadas a ser consumidas las formas de bellos y vigorosos sistemas de decenas de miles de la raza humana, sangre mezclada con sangre, carne con carne, huesos con huesos, y polvo con polvo...

Con sentimientos de puro respeto, concluyo reiterándome como su hermano en el Evangelio.

Fuente: Documentos de José Smith, págs. 78 y 79.

Acerca del Autor

El Elder Gary J. Coleman estaba en la universidad cuando escuchó por primera vez acerca del mensaje del Evangelio Restaurado. Aun cuando era un Católico devoto y seguidor de Cristo, el mensaje poderoso causó cambios poderosos para el enriquecimiento de su vida.

Habiendo sido encaminado hacia el sacerdocio de la iglesia Católica, este monaguillo y futuro obispo se convirtió en su lugar en un hombre de familia y Autoridad General SUD.

El obispo de la diócesis le aseguró a una edad temprana, que él sería sacerdote algún día, y no solo eso, sino obispo. Su familia en particular, su amada abuela, lo animaba a que se preparara para el sacerdocio. Sus compañeros de escuela que habían entrado al seminario lo animaban a hacerlo muchas veces.

Sus visitas numerosas con sacerdotes y los seminarios establecidos durante el curso de su juventud aceleraron su deseo de ser sacerdote. Su servicio semanal como monaguillo durante un periodo de doce años fue una constante oportunidad para meditar acerca de un servicio de tiempo completo en la iglesia. Su participación en la Organización Juvenil Católica (CYO) así como instructor dando clases de catequismo lo animaban a entrar a la obra del ministerio. En la diócesis fueron nombrados la familia Católica del Año y su visión de entrar al sacerdocio de tiempo completo seguía creciendo.

Elder Coleman fue bautizado en 1962. Desde ese tiempo, él ha servido en cinco presidencias de misión y sirvió como presidente de la Misión California Arcadia de 1987-1990, y como presidente de la Misión New York Rochester en la primavera de 1998.

Educador por profesión, Elder Coleman enseñó en el Sistema Educativo de la Iglesia durante 28 años. Fue director asociado del Instituto de Religión de Weber State University en Ogden, Utah al tiempo de su llamado a servir como Autoridad General de tiempo completo de la Iglesia en 1992.

Elder Coleman obtuvo su título medio en la Universidad del Estado de Washington. También posee una maestría en educación con enfoque en asesoría y orientación así como un doctorado en psicología educativa de la Universidad de Brigham Young.

Está casado con Judith England Coleman. Ellos son los padres de seis hijos y tienen diecisiete nietos.

Es su deseo compartir su experiencia con otros, especialmente con investigadores, nuevos conversos y misioneros, para que ellos también puedan experimentar los mismos gozos y satisfacciones que han tenido él y su familia desde que se afilió con La Iglesia de Jesucristo de los Santos de los Últimos Días.